Liev Tolstói

De quanta terra precisa um homem?

e outras histórias

Liev Tolstói

De quanta terra precisa um homem?

e outras histórias

Tradução
Patricia N. Rasmussen

Principis

Esta é uma publicação Principis, selo exclusivo da Ciranda Cultural

Traduzido do inglês
What men live by and other tales

Texto
Liev Tolstói

Tradução
Patricia N. Rasmussen

Revisão
Fernanda R. Braga Simon

Traduzido a partir da versão em inglês de
Louise e Aylmer Maude

Produção editorial e projeto gráfico
Ciranda Cultural

Diagramação
Fernando Laino Editora

Imagens
Majivecka/shutterstock.com;
Everett Collection/shutterstock.com

Ilustrações do miolo
Vicente Mendonça

Dados Internacionais de Catalogação na Publicação (CIP) de acordo com ISBD

T654d Tolstói, Liev, 1828-1910

De quanta terra precisa um homem? e outras histórias / Liev Tolstói ; traduzido por Patricia N. Rasmussen. - Jandira, SP : Principis, 2021.
96 p. ; 15,5cm x 22,6cm. – (Clássicos da literatura mundial)

Tradução de: What Men Live By and Other Tales
ISBN: 978-65-5552-237-2

1. Literatura russa. I. Rasmussen, Patricia N. II. Título. III. Série.

2020-2969 CDD 891.7
CDU 821.161.1

Elaborado por Vagner Rodolfo da Silva - CRB-8/9410

Índice para catálogo sistemático:
1. Literatura russa 891.7
2. Literatura russa 821.161.1

1ª edição em 2021
www.cirandacultural.com.br

SUMÁRIO

Sabemos que passamos da morte para a vida porque amamos nossos irmãos; quem não ama permanece na morte. "Epístola de São João", III. 14.

Quem possuir bens deste mundo e vir seu irmão em necessidade, e fechar o coração para ele, como pode estar nele o amor de Deus? Meus pequenos, não amemos com palavras nem com a língua, mas com atos e verdade. — III. 17-18.

O amor é de Deus, e todo aquele que ama é nascido de Deus e conhece Deus; aquele que não ama não conhece Deus, pois Deus é amor. — IV. 7-8.

Ninguém jamais viu Deus, em momento algum; se amarmos uns aos outros, Deus permanecerá em nós. — IV. 12.

Deus é amor; e aquele que permanence no amor permanece em Deus, e Deus permanece nele. — IV. 16.

Se um homem disser, eu amo a Deus, mas odeia seu irmão, ele é um mentiroso; pois aquele que não ama seu irmão, que ele vê, como pode amar a Deus, a quem nunca viu? — IV. 20.

DO QUE VIVEM OS HOMENS

Um sapateiro chamado Simon, que não tinha casa nem terra própria, vivia com a mulher e os filhos em uma choupana de camponês e ganhava a vida com seu trabalho. O trabalho era barato, mas o pão era caro, e o que ganhava ele gastava com comida. O homem e sua esposa tinham apenas um casaco de lã de ovelha para usar no inverno, e mesmo assim estava rasgado em farrapos. Era o segundo ano que ele queria comprar lã de ovelha para fazer um casaco novo. Antes do inverno, Simon economizou um pouco de dinheiro: uma nota de três rublos[1] estava guardada na caixinha de sua esposa, e ele ainda tinha a receber cinco rublos e vinte copeques, que os clientes da aldeia lhe deviam.

Então, certa manhã, ele se preparou para ir ao centro da aldeia para comprar lã de ovelha. Vestiu por cima da camisa a jaqueta acolchoada de sua esposa e por cima desta vestiu o casaco. Colocou a nota de três rublos no bolso, cortou um graveto comprido para usar como cajado e saiu depois de tomar o café da manhã.

"Vou cobrar os cinco rublos que me devem", pensou ele, "juntar com os três que já tenho, e isso será suficiente para comprar lã para o casaco de inverno."

Ele foi até o centro da aldeia e bateu na porta da cabana de um camponês, mas o homem não estava em casa. A mulher do camponês prometeu que a dívida seria paga na semana seguinte, porque ela não tinha o dinheiro para pagar naquele dia. Então

[1] Rublo: moeda russa. O centavo do rublo se chama "copeque". (N.T.)

Simon foi à casa de outro camponês, que jurou que não tinha dinheiro e que pagaria somente vinte copeques que devia por um par de botas que Simon havia consertado. Simon então tentou comprar a lã a crédito, mas o vendedor não confiou nele.

– Traga seu dinheiro – disse o homem –, e então poderá levar a lã. Sabemos bem como é ter de cobrar dívidas.

Assim, tudo o que o sapateiro conseguiu foram os vinte copeques pelas botas que havia consertado e um par de botas de feltro que um camponês lhe deu para colocar solas de couro.

Simon ficou desanimado. Gastou os vinte copeques em vodca e voltou para casa sem ter comprado a lã. De manhã cedo, ele tinha sentido frio, mas agora, depois de beber a vodca, sentia-se aquecido, mesmo sem um casaco de lã. Ele foi caminhando, batendo com o cajado na terra congelada com uma das mãos e com a outra balançando o par de botas, falando sozinho.

1

– Estou bem aquecido – falou ele –, apesar de não ter um casaco de lã. Tomei uns bons goles, e o álcool está correndo em minhas veias. Não preciso de lã de ovelha. Vou em frente e não me preocupo com nada. É esse tipo de homem que eu sou! Que me importa? Posso viver sem lã de ovelha. Não preciso disso. Minha mulher ficará preocupada, tenho certeza. E, na verdade, é uma lástima... A pessoa trabalha o dia todo e não recebe o pagamento. Espere um pouco! Se ele não me der o dinheiro, vou arrancar a pele dele, ah, se vou... Que história é essa...? Ele me paga vinte copeques por vez?! O que faço com vinte copeques? Bebo, ora... É apenas o que dá para fazer! "Estou sem dinheiro", ele diz! Pode ser, mas e eu? Ele tem casa, tem gado, tudo. Eu não tenho nada! Ele tem plantação de milho, eu preciso comprar cada grão. Aconteça o que acontecer, tenho que gastar três rublos por semana só com pão. Chego em casa, o pão acabou e tenho que arrumar mais um rublo e meio. Então, ele que me pague o que deve, é o mínimo!

A esta altura, o sapateiro estava quase chegando ao santuário na curva da estrada. Olhando para cima, ele viu alguma coisa esbranquiçada atrás do santuário. A luz do dia estava esmaecendo, e o sapateiro espiou, sem conseguir distinguir o que era.

– Não havia uma pedra branca aqui antes. Será um boi? Não parece um boi. Tem cabeça de homem, mas é muito branco... e o que um homem estaria fazendo ali?

Ele chegou mais perto, para poder ver melhor. Para sua surpresa, era mesmo um homem, vivo ou morto, sentado nu, imóvel, encostado no santuário. O terror tomou conta do sapateiro, e ele pensou: "Alguém o matou, tirou suas roupas e o deixou ali. Se eu mexer nele, com certeza estarei encrencado".

Então o sapateiro continuou andando. Foi pela frente do santuário de modo a não passar perto do homem. Depois que tinha caminhado certa distância, ele olhou para trás e viu que o homem já não estava encostado no santuário; estava se movendo e parecia que olhava para ele! O sapateiro ficou ainda mais apavorado que antes e pensou: "Será que devo voltar, ou devo seguir em frente? Se eu me aproximar dele, algo terrível pode acontecer. Como saber quem é esse sujeito? Não deve ter vindo aqui por um bom motivo. Se eu chegar perto dele, ele pode pular em cima de mim e me estrangular, e aí não terei como escapar. Ou senão, ele no mínimo me causaria um transtorno. Está nu, e eu não poderia dar a ele a única roupa que tenho. Que Deus me ajude a escapar!"

Então o sapateiro se apressou e se afastou do santuário, quando de repente sua consciência o atingiu e ele parou no meio do caminho.

– O que está fazendo, Simon? – perguntou para si mesmo. – O homem pode estar passando muita necessidade, e você finge que não vê e vai embora. Por acaso é tão rico que tenha medo de ladrões? Ah, Simon, que vergonha!

Então ele deu meia-volta e foi até o homem.

2

Simon aproximou-se do desconhecido, olhou para ele e viu que era um rapaz jovem, parecia estar em boa forma, não tinha nenhum ferimento, estava apenas congelando e assustado, sentado ali, reclinado, sem olhar para Simon, como se estivesse fraco demais. Simon chegou mais perto, e o homem pareceu acordar. Virou a cabeça, abriu os olhos e olhou para o rosto de Simon. Esse único olhar foi suficiente para Simon gostar do rapaz. Ele deixou as botas de feltro cair no chão, desamarrou a faixa, colocou-a sobre as botas e tirou o casaco.

– Não é hora de conversar – disse. – Vamos, vista este casaco já!

Simon segurou o homem pelos cotovelos e ajudou-o a levantar-se. Olhando para ele ali em pé, Simon viu que ele estava limpo e em boa condição física, as mãos e os pés eram bem-torneados e sua fisionomia era boa e gentil. Simon colocou o casaco sobre os ombros do homem, mas este não conseguia encontrar as mangas. Simon guiou os braços dele e, depois de vestir o casaco, fechou-o e amarrou a faixa em volta da cintura do homem.

Simon até tirou seu gorro rasgado e o colocou na cabeça do homem, mas sentiu frio na cabeça e pensou: “Eu sou careca, e ele tem o cabelo comprido e ondulado”. Então colocou o gorro de volta em sua cabeça. “Seria bom ele usar alguma coisa nos pés”, pensou. Então fez o homem se sentar e ajudou-o a calçar as botas de feltro, dizendo:

– Pronto, amigo, agora mexa-se para se aquecer. Outras questões podem ser resolvidas depois. Consegue andar?

O homem se levantou e olhou gentilmente para Simon, mas não disse uma palavra.

– Por que não fala? – perguntou Simon. – Está muito frio para ficar aqui, precisamos ir para casa. Pronto, segure o meu cajado, se estiver se sentindo fraco, apoie-se nele. Agora vamos!

O homem começou a andar e movia-se com facilidade, não ficava para trás.

Conforme caminhavam, Simon perguntou:

– De onde você é?

– Não sou destes lados.

– Foi o que pensei. Conheço as pessoas das redondezas. Mas como veio parar aqui, no santuário?

– Não posso dizer.

– Alguém maltratou você?

– Ninguém me maltratou. Deus me castigou.

– Claro que Deus rege tudo. Mas, mesmo assim, você precisa de comida e de abrigo. Aonde quer ir?

– Não faz diferença para mim.

Simon estava atônito. O homem não parecia um bandido, falava com gentileza, mas não dizia nada sobre si mesmo. Simon pensou: "Quem sabe o que pode ter acontecido?" E disse para o estranho:

– Bem, então, venha comigo para a minha casa e pelo menos se aqueça um pouco.

Simon caminhou para casa, e o homem o acompanhou. O vento tinha aumentado, e Simon sentiu frio sob a camisa. O efeito da bebida estava passando, e ele começava a sentir o frio intenso no ar. Prosseguiu fungando e, enrolando a jaqueta da esposa à sua volta, pensou: "E agora...? Fui em busca de lã de ovelha para um casaco e volto para casa com um agasalho a menos, e o que é pior, trazendo um homem nu comigo. Matryona não vai gostar!"

Ao pensar na esposa, ele se sentiu triste; mas, quando olhou para o estranho e se lembrou de como o rapaz tinha olhado para ele no santuário, seu coração ficou contente.

3

A esposa de Simon estava adiantada naquele dia. Estava com tudo pronto, tinha cortado lenha, pegado água, alimentado as crianças, ela mesma havia comido também e agora estava sentada, pensando quando deveria fazer pão: "Hoje ou amanhã?" Ainda tinha um bom pedaço sobrando. "Se Simon tiver almoçado na cidade", pensou, "e não quiser comer muito no jantar, o pão vai durar mais um dia."

Ela calculou o peso do pão na mão, várias vezes, e pensou: "Não vou fazer mais pão hoje. Só temos farinha para assar mais um lote. Vamos dar um jeito de fazer este durar até sexta-feira".

Matryona colocou o pão de lado e sentou-se à mesa para remendar a camisa do marido. Enquanto costurava, pensava como o marido iria comprar lã para o casaco de inverno.

"Espero que o negociante de lãs não tente enganá-lo. Meu bom homem é uma pessoa simples; não engana ninguém, mas qualquer criança pode lhe passar a perna facilmente. Oito rublos é muito dinheiro... ele deve conseguir um bom casaco por esse preço. Não lã curtida, mas mesmo assim um casaco de inverno de boa qualidade. Foi difícil passar o último inverno sem um casaco quentinho. Não pude descer até o rio, nem ir a parte alguma. Quando ele saía, vestia tudo o que tínhamos, e não sobrava nada para mim. Ele não saiu muito cedo hoje, mas mesmo assim está demorando. Já deveria ter voltado. Só espero que não esteja na farra!"

No instante em que Matryona pensava nisso, ouviu o som de passos na soleira da porta, e alguém entrou. Ela espetou a agulha em sua costura e saiu para o corredor. Ali estavam dois homens: Simon e um homem que ela não conhecia, sem gorro e usando botas de feltro.

Matryona notou na mesma hora que o marido cheirava a álcool.

"Pronto, veja só, ele andou bebendo", pensou ela. E, quando viu que ele estava sem o casaco, só com sua jaqueta, e que não trazia nenhum embrulho ou pacote, que só ficava ali em silêncio, parecendo envergonhado, o coração dela quase se partiu de frustração.

"Ele gastou o dinheiro com bebida", pensou. "Foi para a farra com um sujeito imprestável e ainda por cima o trouxe para casa."

Matryona os deixou passar e viu que o homem desconhecido era um rapaz jovem e esguio e que estava usando o casaco de seu marido. Não tinha nada por baixo do casaco e não usava gorro. Assim que entrou, ele parou, sem se mexer nem levantar os olhos, e Matryona pensou: "Deve ser um homem mau... está com medo".

Matryona franziu a testa e ficou parada ao lado do forno, esperando ver o que aqueles dois iriam fazer. Simon tirou o gorro e sentou-se no banco, como se tudo estivesse normal.

– Matryona, se o jantar estiver pronto, vamos comer.

Matryona murmurou alguma coisa para si mesma e não se moveu; permaneceu onde estava, ao lado do forno. Olhou primeiro para um, depois para o outro, e balançou a cabeça. Simon percebeu que a esposa estava irritada, mas tentava disfarçar. Fingindo não notar nada, segurou o desconhecido pelo braço.

– Sente-se, amigo – falou ele –, e vamos comer alguma coisa.

O homem se sentou no banco.

– Não cozinhou nada para nós? – perguntou Simon.

A raiva de Matryona transbordou.

– Eu cozinhei, mas não para vocês. Parece que você bebeu seu juízo. Saiu daqui para comprar lã de ovelha e voltou sem a lã, sem o casaco que estava usando e ainda trouxe um vagabundo nu com você. Não tenho comida para bêbados como vocês.

– Já chega, Matryona. Não fique falando sem saber. É melhor você primeiro perguntar que tipo de...

– E você vai me dizer o que fez com o dinheiro?

Simon enfiou a mão no bolso da jaqueta, tirou a nota de três rublos e a desdobrou.

– O dinheiro está aqui. Trifonof não pagou, mas prometeu pagar em breve.

Matryona ficou ainda mais zangada. Ele não havia comprado a lã de ovelha, mas vestira seu casaco em um sujeito nu e ainda por cima o trouxera para a casa deles.

Ela pegou o dinheiro de cima da mesa, para depois guardar em segurança, e disse:

– Não tenho jantar para esse moço. Não podemos alimentar todos os bêbados pelados do mundo.

– Matryona, calma. Antes escute o que tenho a dizer...

– Muita sabedoria hei de escutar da boca de um tolo bêbado! Eu estava certa em não querer me casar com você! A roupa de cama que minha mãe me deu, você bebeu. E agora foi comprar lã, e bebeu a lã também!

Simon tentou explicar à esposa que havia gastado somente vinte copeques; tentou contar como havia encontrado o homem, mas Matryona não o deixava falar. Ficou só se queixando e lembrando de coisas que tinham acontecido dez anos antes.

Matryona falou e falou, e por fim avançou para Simon e o segurou pela manga da jaqueta.

– Devolva minha jaqueta! É a única que tenho, e você é quem usa?! Dê-me aqui, seu cão sarnento, e que o diabo o carregue.

Simon começou a tirar a jaqueta e, ao puxar um braço, a manga virou do avesso. Matryona arrancou a jaqueta da mão dele e as costuras se romperam. Ela a pegou, jogou-a sobre o ombro e foi para a porta. Pretendia sair, mas também queria saber que tipo de homem era aquele desconhecido.

4

Matryona parou e resmungou:

– Se ele fosse uma boa pessoa, não estaria nu. Ora, nem mesmo uma camisa ele está usando... Se não houvesse nenhum problema com esse homem, você diria onde o encontrou.

– Mas é justamente o que estou tentando explicar – disse Simon. – Quando passei pelo santuário, eu o vi sentado lá, nu e congelando. Este tempo não é dos melhores para andar por aí sem roupa! Foi Deus quem me fez passar por lá; se não fosse isso, ele poderia ter morrido. O que eu podia fazer? Quem sabe o que poderia acontecer? Então vesti meu casaco nele, emprestei-lhe as botas que me deram para pôr solado e o trouxe comigo. Não fique tão brava, Matryona. Isso é pecado. Lembre-se, todos iremos morrer um dia.

Palavras raivosas chegaram aos lábios de Matryona, mas ela olhou para o homem desconhecido e nada disse. Ele estava sentado na beirada do banco, imóvel, com as mãos sobre os joelhos, a cabeça baixa, os olhos fechados e as feições contraídas, como se sentisse dor. Matryona ficou em silêncio, e Simon disse:

– Matryona, você não tem o amor de Deus em seu coração?

Ao ouvir essas palavras, Matryona olhou para o estranho e, de repente, seu coração se enterneceu por ele. Afastou-se da porta e, aproximando-se do forno, tirou de lá o jantar. Colocou uma caneca na mesa e encheu-a com *kvas*[2]. Depois pegou o último pedaço de pão, faca e colheres.

---

[2] Tipo de bebida fermentada. (N.T.)

– Coma, se quiser – ela disse.

Simon conduziu o homem para mais perto da mesa.

– Sente-se, meu jovem – disse ele.

Simon cortou o pão, esmigalhou-o dentro do caldo, e eles começaram a comer. Matryona sentou-se no canto da mesa, com a cabeça apoiada na mão e olhando para o desconhecido.

Sentiu pena dele e começou a sentir até carinho pelo rapaz. No mesmo instante o rosto dele se iluminou; suas sobrancelhas já não estavam cerradas, ele ergueu os olhos e sorriu para Matryona.

Depois que terminaram de jantar, ela tirou a mesa e começou a interrogar o estranho.

– De onde você é? – perguntou.

– Não sou destes lados.

– Mas como foi parar na estrada?

– Não posso dizer.

– Foi assaltado?

– Deus me puniu.

– E você estava lá jogado, nu?

– Sim... nu e congelando. Simon me viu e teve pena de mim. Tirou o casaco, vestiu-me com ele e me trouxe para cá. E você me deu de comer e de beber, e demonstrou compaixão. Deus irá recompensar vocês!

Matryona levantou-se, pegou na janela a camisa velha de Simon que estava remendando e estendeu-a ao estranho. Também pegou uma calça para ele.

– Pronto – disse. – Estou vendo que você está sem camisa. Vista esta e deite-se onde quiser, no sótão ou perto do forno.

O homem tirou o casaco, vestiu a camisa e deitou-se no sótão, que nada mais era que um mezanino estreito perto do teto. Matryona apagou a vela, pegou o casaco e foi até onde seu marido estava deitado. Puxou as abas do casaco sobre si, mas não conseguia dormir; não conseguia tirar o estranho da cabeça.

Quando se lembrou de que ele tinha comido o último pedaço de pão e que não havia sobrado nada para o dia seguinte, e pensou na camisa e na calça que havia dado para ele, sentiu-se triste. Mas, quando se lembrou de como ele sorrira, seu coração se alegrou.

Por um longo tempo Matryona ficou ali, acordada, e notou que Simon também estava acordado. Ele puxou o casaco para si.

– Simon!

– O quê?

– Vocês comeram o último pedaço de pão, e eu não coloquei mais para crescer. Não sei o que faremos amanhã. Talvez eu possa pedir um pouco emprestado à nossa vizinha Martha.

– Se estivermos vivos, encontraremos algo para comer.

Ela continuou acordada por algum tempo e, então, disse:

– Ele parece ser um bom homem, mas por que não quer nos contar quem é?

– Suponho que tenha seus motivos.

– Simon!

– Sim?

– Nós damos aos outros... mas por que ninguém nos dá nada?

Simon não sabia o que responder, por isso disse apenas:

– Vamos parar de falar. – E virou-se para o lado e adormeceu.

5

Pela manhã, Simon acordou. As crianças ainda dormiam; sua esposa tinha ido até a vizinha pedir um pouco de pão emprestado. O desconhecido estava sentado sozinho no banco, vestido com a velha camisa e a calça e com a cabeça erguida. Sua fisionomia estava com melhor aparência que no dia anterior.

– Bem, amigo – disse Simon. – A barriga quer pão, o corpo nu quer roupas. É preciso trabalhar para ganhar a vida. O que você sabe fazer?

– Não sei fazer nada.

A resposta surpreendeu Simon, mas ele disse:

– Um homem com vontade de aprender consegue aprender qualquer coisa.

– Os homens trabalham, e eu trabalharei também.

– Como se chama?

– Michael.

– Bem, Michael, se não quiser falar sobre si mesmo, é problema seu. Mas terá de ganhar seu sustento. Se trabalhar como eu lhe disser para fazer, eu lhe darei comida e abrigo.

– Que Deus o abençoe! Eu aprenderei. Mostre-me o que fazer.

Simon pegou um fio, enrolou-o no polegar e começou a torcê-lo.

– É bem fácil... veja!

Michael o observou, enrolou um fio no polegar, pegou o jeito e o torceu também.

Então Simon mostrou a ele como encerar o fio. Michael logo dominou a técnica. Em seguida, Simon ensinou-o a torcer a cerda e como costurar, e isto tambem Michael aprendeu rápido.

Tudo que Simon mostrava e ensinava ele aprendia imediatamente, e depois de três dias ele estava trabalhando como se a vida toda tivesse costurado botas. Trabalhava sem parar e comia pouco. Quando terminava o trabalho, sentava-se em silêncio, olhando para o alto. Raramente saía para a rua, falava somente o necessário e não brincava nem ria. Eles nunca o tinham visto sorrir, com exceção daquela primeira noite quando Matryona lhes servira o jantar.

6

Dia após dia, semana após semana, o ano se passou. Michael morava e trabalhava com Simon. Sua fama se espalhou, a ponto de as pessoas dizerem que ninguém costurava botas tão bem como o artífice de Simon, Michael; e de todos os povoados próximos as pessoas vinham trazer suas botas para Simon consertar, e ele começou a ganhar dinheiro.

Certo dia de inverno, enquanto Simon e Michael trabalhavam, uma carruagem sobre trenós, puxada por três cavalos com sinetas, parou diante da choupana. Eles olharam pela janela e viram um lacaio saltar da carruagem e abrir a porta. Um cavalheiro usando casaco de pele desceu e foi em direção à choupana. Matryona pôs-se de pé de um pulo e abriu a porta. O cavalheiro inclinou a cabeça para passar pela porta e, quando se endireitou, sua cabeça quase tocava o teto. Ele parecia preencher todo o espaço da choupana.

Simon levantou-se, fez uma mesura e olhou perplexo para o cavalheiro. Nunca tinha visto alguém como ele. Ele próprio era esguio, Michael era magro e Matryona era pele e osso, mas aquele homem parecia ser de outro mundo: corpulento, com o rosto vermelho e o pescoço como o de um touro, parecia ser feito de ferro fundido.

O cavalheiro bufou, tirou o casaco de pele, sentou-se no banco e disse:

– Qual de vocês é o mestre sapateiro?

– Sou eu, Vossa Excelência – disse Simon, dando um passo à frente.

O cavalheiro, então, gritou para o lacaio:

– Ei, Fedka, traga o couro!

O criado se aproximou correndo, trazendo um embrulho, que o cavalheiro pegou e colocou sobre a mesa.

– Desamarre – ordenou, e o lacaio obedeceu.

O cavalheiro apontou para o conteúdo.

– Olhe, sapateiro. Está vendo esse couro?

– Sim, senhor.

– Sabe que tipo de couro é?

Simon passou os dedos sobre o couro.

– É de boa qualidade – respondeu.

– Ótima qualidade! Seu tolo, você nunca viu um couro como este em sua vida. É alemão e custou vinte rublos.

Simon ficou assustado.

– Onde eu poderia ter visto couro como esse antes?

– Exatamente! E então, pode me fazer um par de botas com ele?

– Sim, Excelência, posso.

Então o cavalheiro gritou:

– Você pode, é? Bem, lembre para quem você vai fazê-las e a qualidade do couro que está em suas mãos. Você precisa fazer botas que durem um ano, sem deformar nem descosturar. Se acha que consegue, pegue o couro e corte-o. Mas, se não tem certeza, diga! Estou lhe avisando, se as botas descosturarem ou deformarem antes de um ano, colocarei você na cadeia. Se não arrebentarem nem deformarem em um ano, eu lhe pagarei dez rublos pelo trabalho.

Simon ficou apavorado, sem saber o que dizer. Olhou para Michael e, cutucando-o com o cotovelo, sussurrou:

– Será que aceito o serviço?

Michael assentiu com a cabeça, como se dissesse "Sim, aceite".

Simon seguiu o conselho de Michael e assumiu o compromisso de fazer botas que durassem um ano inteiro sem deformar ou arrebentar.

Chamando seu lacaio, o cavalheiro esticou a perna esquerda e mandou que ele tirasse a bota de seu pé.

– Tire minha medida! – ordenou.

Simon pegou um papel de medida de quarenta e cinco centímetros, alisou-o, ajoelhou-se, esfregou as mãos no avental para não sujar a meia do cavalheiro e começou a medir. Mediu a sola do pé, o perímetro e começou a medir a panturrilha, mas o papel era muito pequeno. A perna do homem era grossa como uma viga de madeira.

– Cuidado para que não fique apertada!

Simon pegou outra tira larga de papel. O cavalheiro mexeu os dedos dentro da meia, olhando em volta, e ao fazer isso reparou em Michael.

– Quem é esse? – perguntou.

– É meu artífice. Ele irá costurar as botas.

– Cuidado! – o cavalheiro disse para Michael. – Lembre-se de que elas têm de durar um ano.

Simon também olhou para Michael e percebeu que ele não estava olhando para o cavalheiro, mas para o canto da choupana, atrás do cavalheiro, como se houvesse alguém ali. Michael olhava fixamente e de repente sorriu e seu rosto se iluminou.

– Está rindo de quê, seu pateta? – trovejou o cavalheiro. – É bom você ter certeza de que as botas ficarão prontas a tempo.

– Elas ficarão prontas a tempo – afirmou Michael.

– É bom que fiquem – disse o cavalheiro.

Ele voltou a calçar suas botas e a vestir o casaco de pele, fechou-o bem e foi para a porta. Mas se esqueceu de baixar a cabeça e bateu com a testa no batente.

Ele praguejou e esfregou a testa. Em seguida, ocupou seu assento na carruagem e foi embora.

Depois que ele partiu, Simon disse:

– Que homem, hein... Não seria possível matar esse sujeito com um martelo! Ele quase destruiu o batente da porta, mas com a cabeça dele não aconteceu nada.

E Matryona disse:

– Com a vida que ele tem, como não ser forte do jeito que é? A própria morte não é capaz de abalar uma rocha como essa.

7

Então Simon disse para Michael:

– Bem, nós aceitamos o trabalho, mas precisamos cuidar para não termos problemas com isso. O couro custa caro, e o cavalheiro é genioso. Não podemos errar. Vamos fazer assim: sua visão é melhor que a minha, e suas mãos se tornaram mais ágeis que as minhas, então você mede e corta as botas. Eu faço as costuras.

Michael seguiu as orientações de Simon. Pegou o couro, esticou-o sobre a mesa, dobrou-o ao meio, pegou uma faca e começou a cortar.

Matryona se aproximou e o observou enquanto ele cortava, e ficou surpresa com o modo como ele trabalhava. Estava acostumada a ver o processo do feitio de botas, e agora via que Michael não estava cortando o couro no formato de botas, mas, sim, em formato redondo. Teve vontade de dizer alguma coisa, mas pensou: "Talvez eu não entenda como as botas dos cavalheiros são feitas. Suponho que Michael saiba melhor que eu... não vou me intrometer".

Depois de cortar o couro, Michael pegou um fio e começou a costurar, não com duas pontas, como de costume, mas com uma única ponta, como se estivesse costurando chinelos macios.

Novamente Matryona ficou intrigada, mas ainda assim não interferiu. Michael trabalhou ininterruptamente até o meio-dia. Então Simon se levantou para almoçar, olhou em volta e viu que Michael tinha feito chinelos com o couro do cavalheiro.

– Ah! – Simon gemeu e pensou: "Como é possível que Michael, que está comigo há um ano inteiro e nunca cometeu um erro, faça algo tão, mas tão terrível? O cavalheiro encomendou botas de cano alto, com pesponto, frentes inteiriças, e Michael fez um par de chinelos moles com sola simples e desperdiçou todo o couro. O que vou dizer ao cliente? Jamais terei condições de repor esse couro". E disse a Michael: – O que está fazendo, amigo? Você me arruinou! Sabia muito bem que o cavalheiro queria botas de cano alto, e olhe o que você fez!

Ele mal tinha começado a repreender Michael quando alguém bateu na porta com a argola de ferro pendurada do lado de fora. Eles espiaram pela janela; um homem tinha vindo a cavalo e estava amarrando a montaria. Eles abriram a porta, e o mesmo lacaio que antes estava junto com o cavalheiro entrou.

– Boa tarde – disse ele.

– Boa tarde – respondeu Simon. – O que podemos fazer por você neste momento?

– Minha patroa me mandou aqui por causa das botas.

– O que tem as botas?

– Bem, meu patrão não irá mais precisar delas. Ele está morto.

– Como é possível?!

– Ele não viveu para chegar em casa depois que saiu daqui. Morreu na carruagem. Quando chegamos e os criados foram ajudá-lo a desembarcar, ele rolou como um saco. Já estava morto, e tão duro que foi difícil tirá-lo de dentro da carruagem. Minha patroa me mandou aqui, dizendo: "Diga ao sapateiro que o cavalheiro que encomendou as botas e deixou o couro para fazê-las não precisará mais das botas, mas que ele deve fazer o quanto antes um par de chinelos macios para o cadáver. Espere que fiquem prontos e traga-os com você". Por isso estou aqui.

Michael juntou os retalhos de couro que haviam sobrado, enrolou-os, pegou os chinelos que tinha feito, bateu um no outro, esfregou-os em seu avental e entregou-os, junto com o rolo de couro, ao lacaio, que pegou tudo e disse:

– Até logo, mestres, tenham um bom dia!

8

Mais um ano se passou, e mais outro, até que já era o sexto ano que Michael estava com Simon. Ele vivia como sempre; não ia a lugar algum, falava somente o necessário e havia sorrido só duas vezes em todos aqueles anos: uma quando Matryona lhe dera comida naquele primeiro dia e outra quando o cavalheiro estava na choupana. Simon estava mais que satisfeito com seu artífice. Nunca lhe perguntou de onde ele vinha, e seu único medo era que Michael fosse embora.

Estavam todos em casa certo dia. Matryona estava colocando vasilhas de ferro no forno; as crianças estavam correndo por entre os bancos e olhando pela janela; Simon estava trabalhando junto a uma janela, e Michael estava consertando um salto perto de outra.

Um dos meninos correu ao longo do banco até Michael, apoiou-se no ombro dele e espiou pela janela.

– Olhe, tio Michael! Uma senhora com duas menininhas! Parece que estão vindo para cá. E uma das meninas está mancando.

Quando o menino disse isso, Michael largou seu trabalho, virou-se para a janela e olhou para a rua.

Simon ficou surpreso. Michael nunca olhava para fora, mas agora estava com o rosto colado ao vidro, olhando atentamente para alguma coisa. Simon também olhou e viu que de fato uma mulher bem-vestida vinha em direção à choupana, segurando pela mão duas menininhas vestidas em casacos de pele e xales de lã. As meninas eram muito parecidas, a única diferença era que uma delas tinha uma deficiência na perna esquerda e mancava.

A mulher chegou ao alpendre, tateou na porta e, encontrando o trinco, levantou-o e abriu a porta. Deixou as duas meninas passar na frente e depois entrou também.

– Bom dia, gente boa!

– Por favor, entre – disse Simon. – O que podemos fazer pela senhora?

A mulher sentou-se perto da mesa, e as duas meninas se encostaram em seus joelhos, com medo dos moradores da choupana.

– Eu quero sapatos de couro para estas duas meninas, para usarem na primavera.

– Podemos fazer isso! Nunca fizemos sapatos tão pequenos, mas podemos fazer. Pespontados, ou dobráveis, forrados com linho... Meu funcionário, Michael, é um mestre no trabalho.

Simon olhou para Michael e viu que ele tinha largado seu trabalho e estava sentado com o olhar fixo nas meninas. Simon ficou surpreso. Verdade que as meninas eram bonitas, rechonchudas, com olhos pretos e bochechas rosadas, e usavam lindos casacos de pele e cachecóis, mas ele não conseguia entender por que Michael olhava para elas daquele jeito, como se as conhecesse. Estava intrigado, mas continuou conversando com a mulher e combinando o preço. Depois de tudo combinado, preparou-se para tirar as medidas. A mulher colocou a menina com deficiência no colo e disse:

– Tire duas medidas para esta. Faça um sapato para o pé são e um para o outro. As duas têm os pés do mesmo tamanho. São gêmeas.

Simon tirou as medidas e, falando da menina com deficiência, perguntou:

– O que aconteceu com ela? Uma menina tão bonita... Ela nasceu assim?

– Não, a mãe esmagou a perna dela.

Nesse momento, Matryona juntou-se a eles. Estava curiosa para saber quem eram aquela mulher e as crianças, e perguntou:

– Então a senhora não é a mãe?

– Não, minha boa mulher. Não sou mãe nem parente delas. Elas eram desconhecidas para mim, mas eu as adotei.

– Elas não são suas filhas e a senhora gosta tanto assim delas?

– Como posso não gostar? Eu as amamentei com meu peito. Eu tinha um filhinho, mas Deus o levou. Mas não gostava tanto dele como gosto destas duas.

– De quem elas são filhas, então?

9

A mulher, tendo começado a falar, contou a eles a história toda.

– Faz cerca de seis anos que os pais delas morreram, em menos de uma semana. O pai foi enterrado na terça-feira, e a mãe, na sexta-feira. Estas órfãs nasceram três dias após a morte do pai, e a mãe morreu após o parto. Meu marido e eu vivíamos como camponeses na aldeia. Éramos vizinhos do casal, nosso quintal era grudado ao deles. O pai delas era um homem solitário, um lenhador da floresta. Ao cortar árvores, uma delas caiu em cima dele. Caiu atravessada sobre seu corpo e esmagou sua barriga. Os intestinos ficaram expostos. Mal deu tempo de o levarem para casa, sua alma foi para Deus. E nessa mesma semana a mulher dele deu à luz gêmeas... estas menininhas. Ela era pobre, e estava sozinha. Não tinha ninguém com ela, jovem ou velho. Deu à luz sozinha e sozinha encontrou a morte. Na manhã seguinte fui vê-la, mas, quando entrei na choupana, a coitadinha já estava dura e fria. Ao morrer, ela caiu em cima desta menina e esmagou a perninha dela. Os moradores da aldeia foram até a choupana, lavaram o corpo dela, fizeram um caixão, deitaram-na dentro dele e a enterraram. Eram pessoas boas. Mas as bebês ficaram sozinhas. O que fazer com elas? Eu era a única mulher que tinha um bebê na época. Estava amamentando meu primeiro filho, que estava com oito semanas. Então peguei as meninas por um tempo. Os camponeses se reuniram e pensaram sobre o que fazer com elas. E, por fim, disseram: "Mary, é melhor você ficar com as meninas por enquanto, depois veremos o que fazer com elas". Então dei de mamar à menina sã, mas no começo não amamentei a que estava com a perninha machucada. Não pensei que sobreviveria. Mas depois pensei: por que a pobrezinha inocente precisava sofrer? Fiquei com pena e comecei a amamentá-la também. Assim dei de mamar ao meu menino e a estas duas... aos três... do meu próprio peito. Eu era jovem e forte, e graças a Deus tinha leite de sobra. Às vezes amamentava dois de uma vez, enquanto o terceiro esperava. Quando o primeiro ficava saciado eu pegava o terceiro. E quis Deus que estas meninas crescessem, ao passo que meu filho foi enterrado antes de completar 2 anos. E não tive mais filhos, apesar de termos prosperado. Hoje meu marido trabalha para o negociante de milho no moinho. O serviço é bem pago e estamos bem de vida. Mas não tenho filhos meus, e como eu seria sozinha sem estas menininhas! Como não amá-las...? Elas são a alegria da minha vida!

Com um braço ela puxou para si a menina com deficiência, enquanto com a outra mão secava as lágrimas.

Matryona suspirou e disse:

– É verdadeiro o provérbio que diz "Uma pessoa pode viver sem pai ou sem mãe, mas não pode viver sem Deus".

Eles estavam ali, conversando, quando de repente a choupana inteira se iluminou, como se um raio de verão viesse do canto onde Michael estava sentado. Todos olharam para ele e o viram ali sentado, com as mãos dobradas sobre os joelhos, olhando para o alto e sorrindo.

10

A mulher foi embora com as meninas. Michael levantou-se do banco, largou o trabalho que estava fazendo e tirou o avental. Em seguida, fazendo uma mesura para Simon e a esposa, ele disse:

– Adeus, patrões. Deus me perdoou. Peço seu perdão também, por qualquer coisa errada que tenha feito.

Então eles viram uma luz brilhar em Michael. Simon levantou-se, curvou-se numa reverência e disse:

– Estou vendo, Michael, que você não é um homem comum e que não posso insistir para que fique. Apenas diga-me uma coisa: Como é que, quando eu o encontrei e o trouxe para cá, você estava tristonho e, quando minha mulher lhe deu comida, você sorriu para ela e ficou mais animado? Depois, quando o cavalheiro veio encomendar as botas, você sorriu outra vez e ficou mais animado ainda? E agora, quando aquela senhora trouxe as menininhas, você sorriu uma terceira vez e ficou iluminado como um dia de sol? Diga-me, Michael, por que o seu rosto brilha dessa maneira e por que você sorriu essas três vezes?

E Michael respondeu:

– A luz brilha em mim porque fui punido, mas agora Deus me perdoou. E sorri três vezes porque Deus me enviou para aprender três verdades, e eu as aprendi. Uma eu aprendi quando sua esposa teve compaixão de mim, e por isso sorri a primeira vez. A segunda eu aprendi quando o homem rico encomendou as botas, por isso sorri outra vez. E agora, quando vi aquelas menininhas, aprendi a terceira e última verdade, e sorri pela terceira vez.

Simon disse:

– Diga-me, Simon, por que Deus castigou você? E quais eram essas três verdades? Diga-me, para que eu também as aprenda.

E Michael respondeu:

– Deus me castigou por desobedecer-Lhe. Eu era um anjo no céu e desobedeci a Deus. Ele então me enviou para buscar a alma de uma mulher. Voei para a terra e vi a mulher doente deitada sozinha, tendo acabado de dar à luz duas bebês. Elas se agitavam ao lado da mãe, mas ela não tinha forças para segurá-las e amamentá-las. Quando me viu, ela compreendeu que Deus havia me enviado para buscar sua alma. Ela chorou e disse: "Anjo de Deus! Meu marido acabou de ser sepultado, morto por uma árvore que caiu em cima dele. Não tenho irmã, nem tia, nem mãe, ninguém para cuidar de minhas órfãs. Não leve minha alma! Deixe-me amamentar minhas bebês, cuidar delas e vê-las andar antes de morrer. Crianças não podem viver sem pai e mãe". E eu atendi ao pedido dela. Coloquei uma das bebês em seu peito e a outra em seus braços, e retornei para o Senhor no Céu. Voei para o Senhor e disse: "Não pude trazer a alma da mulher. O marido foi esmagado por uma árvore; a mulher teve gêmeas e implora para que sua alma não seja levada. Ela disse: 'Deixe-me amamentar minhas bebês, cuidar delas e vê-las andar antes de morrer. Crianças não podem viver sem pai e mãe'. Por isso não trouxe sua alma". E Deus disse: "Vá buscar a alma da mulher e aprenda três verdades: aprenda o que habita no homem, o que não é dado ao homem e do que vivem os homens. Quando tiveres aprendido essas três coisas, retornarás ao céu". Então voei de volta à terra e peguei a alma da mulher. As bebês caíram de seus seios. Seu corpo rolou na cama e esmagou uma das crianças, torcendo-lhe a perna. Sobrevoei a aldeia, com a intenção de levar a alma dela para Deus, mas um vento forte me pegou, e minhas asas perderam força e caíram. A alma dela subiu sozinha para Deus, e eu caí na terra, na margem da estrada.

11

Simon e Matryona compreenderam quem era aquele que havia morado com eles, a quem haviam dado roupa e comida. E choraram, num misto de espanto, reverência e alegria. E o anjo disse:

– Eu estava sozinho no campo, nu. Não conhecia as necessidades humanas, frio e fome, até tornar-me um homem. Estava faminto, congelando, e não sabia o que fazer. Vi, perto do campo onde estava, um santuário construído para Deus e fui pulando até lá, para procurar abrigo. Mas o santuário estava fechado, e não pude entrar. Então sentei-me na parte dos fundos para me abrigar pelo menos do vento. Começou a escurecer, e eu sentia fome, muito frio e dor. De repente ouvi passos de um homem se aproximando na estrada. Ele carregava um par de botas e falava sozinho. Pela primeira vez desde que me tornei humano, vi o rosto mortal de um homem, e seu rosto me pareceu terrível, por isso me virei para não vê-lo. Ouvi o homem falar sozinho sobre como agasalhar o corpo no inverno e como alimentar mulher e filhos. E pensei: "Estou morrendo de frio e fome, e aqui está um homem pensando apenas em como agasalhar a si mesmo e à esposa e como conseguir pão para a família. Ele não tem como me ajudar". Quando o homem me viu, ele franziu a testa e ficou ainda mais assustador, e se desviou de mim, passando pelo outro lado. Fiquei desesperado, mas de repente escutei-o voltar. Olhei para cima e não reconheci o mesmo homem. Antes, eu tinha visto morte no semblante dele, mas agora ele estava vivo, e reconheci nele a presença de Deus. Ele veio até mim, agasalhou-me e levou-me junto com ele para sua casa. Entrei na casa, e uma mulher veio ao nosso encontro e começou a falar. Ela era ainda mais assustadora que o homem. O espírito da morte saía de sua boca. Eu não conseguia respirar com o cheiro da morte que se espalhava ao redor dela. Ela queria me mandar de volta para o frio, e eu sabia que, se ela fizesse isso, ela morreria. De repente o marido falou com ela sobre Deus, e a mulher imediatamente se transformou. E, quando ela me trouxe comida e olhou para mim, olhei para ela e vi que a morte já não a rondava, que ela revivera, e nela também eu vi Deus. Então me lembrei da primeira lição que Deus queria que eu aprendesse: "O que habita no homem". E compreendi que o Amor habita no homem! Fiquei feliz porque Deus já estava me mostrando o que havia prometido, e sorri pela primeira vez. Mas ainda não tinha aprendido tudo. Ainda não sabia o que não é dado ao homem e do que vivem os homens.

O anjo fez uma pausa e continuou.

– Morei com vocês, e um ano se passou. Um homem veio encomendar botas que deveriam durar um ano sem deformar ou rasgar. Olhei para ele e, de repente, atrás de seu ombro, vi um conhecido meu... o anjo da morte. Ninguém além de mim viu esse anjo, mas eu o conhecia e sabia que antes de o sol se pôr ele levaria a alma daquele homem rico. E pensei: "O homem está se preparando para um ano e não sabe que morrerá antes de o dia terminar". E lembrei-me da segunda lição que Deus queria me ensinar: "Aprenda o que não é dado ao homem". O que habita no homem eu já sabia. Agora acabava de aprender o que não é dado a ele. Não é dado ao homem conhecer suas próprias necessidades. E sorri pela segunda vez. Estava feliz por ver meu companheiro e por Deus ter me revelado a segunda verdade. Mas eu ainda não sabia tudo. Não sabia do que vivem os homens. E continuei, esperando que Deus me revelasse a última lição. No sexto ano, vieram as meninas gêmeas com a mulher. Reconheci as meninas e escutei a história de como elas tinham sobrevivido. E pensei: "A mãe delas me implorou pelo bem das crianças, e eu acreditei quando ela disse que as crianças não podem viver sem pai e mãe. Mas uma estranha as amamentou e as criou". E, quando a mulher demonstrou seu amor pelas crianças que não eram dela, e chorou por elas, eu vi nela o Deus vivo e compreendi do que os homens vivem. E soube que Deus tinha me revelado a última lição e perdoado meu pecado. E então sorri pela terceira vez.

12

Nisso, o corpo do anjo foi despido de roupas e vestido de luz, tão ofuscante que era impossível olhar para ele. Sua voz ficou mais alta, como se não saísse dele, mas viesse do alto, do céu. E o anjo disse:

– Aprendi que todos os homens vivem não do cuidado consigo mesmos, mas do amor. Não foi dado à mãe saber do que suas filhas precisavam para sua vida. Tampouco foi dado ao homem rico saber do que precisava. E não foi dado a homem algum saber se, quando a noite chega, ele precisará de botas para seu corpo ou de chinelos para seu cadáver. Permaneci vivo enquanto fui humano não por cuidado comigo mesmo, mas porque o amor estava presente em um transeunte, e porque ele e a esposa tiveram pena de mim e sentiram amor por mim. As órfãs sobreviveram não por causa do cuidado da mãe, mas porque havia amor no coração de uma mulher, estranha para elas, que sentiu pena delas e as amou. E todos os homens vivem não do que gastam com seu bem-estar, mas porque o amor existe no homem. Antes eu sabia que Deus dá a vida aos homens e deseja que eles vivam. Agora compreendo mais que isso. Compreendo que Deus não deseja que os homens vivam isolados, e portanto não revela a eles o que cada um necessita para si; mas Ele deseja que vivam unidos, e portanto revela a cada um deles o que é necessário para todos. Agora compreendo que, embora pareça aos homens que eles vivem do cuidado consigo mesmos, na verdade é do amor, por si só, que eles vivem. Aquele que tem amor está em Deus, e Deus está nele, pois Deus é amor.

E o anjo cantou louvores a Deus, e a choupana estremeceu ao som de sua voz. O telhado se abriu, e uma coluna de fogo elevou-se da terra para o céu. Simon, sua mulher e os filhos caíram estatelados no chão. Asas apareceram nos ombros do anjo, e ele subiu para os céus.

E, quando Simon voltou a si, a choupana estava como antes, e não havia ninguém ali além dele e de sua família.

TRÊS PERGUNTAS

Ocorreu certa vez a um rei que, se ele sempre soubesse a hora certa de começar tudo, se soubesse quais as pessoas certas a quem deveria dar ouvidos, quais pessoas evitar e, acima de tudo, se sempre soubesse qual era a coisa mais importante a fazer, ele nunca fracassaria em nada que se propusesse a fazer.

Tendo lhe ocorrido esse pensamento, ele proclamou em todo o reino que daria uma generosa recompensa a quem lhe ensinasse qual era o momento certo para cada ação, quem eram as pessoas mais necessárias e como ele poderia saber qual era a coisa mais importante a fazer.

Então, vários homens eruditos foram até o rei, mas responderam de maneira diferente às suas perguntas.

Em resposta à primeira pergunta, alguns disseram que, para saber o momento certo para uma ação, era preciso fazer uma planilha com antecedência de dias, meses e até anos e segui-la estritamente. Somente assim, disseram, tudo poderia ser feito em seu devido tempo. Outros declararam que era impossível decidir antecipadamente a hora certa para cada ação, mas que, não se deixando distrair por passatempos, era preciso ficar atento ao que estivesse acontecendo e então fazer aquilo que fosse mais necessário. Outros, ainda, disseram que, por mais atento que o rei fosse ao que estava acontecendo, era impossível um homem decidir com acerto a hora correta para uma ação, mas que ele deveria ter um Conselho de homens sábios, que o ajudariam a escolher a hora certa para tudo. E ainda houve outros que disseram que algumas coisas não podiam esperar as considerações de um Conselho, pois exigiam uma decisão imediata. Mas, para tomar essa decisão, era preciso saber de antemão o que iria acontecer, e somente mágicos podiam saber disso. E que portanto, para saber a hora certa para cada ação, era preciso consultar mágicos.

Da mesma maneira, várias foram as respostas para a segunda pergunta. Alguns disseram que as pessoas de quem o rei mais precisava eram os conselheiros; outros, ainda, disseram que eram os padres; outros, os médicos; e outros disseram que os guerreiros eram os mais necessários.

À terceira pergunta, sobre qual era a ocupação mais importante, alguns responderam que a coisa mais importante do mundo era a ciência. Outros disseram que eram as habilidades de guerra; e outros disseram ainda que era a devoção religiosa.

Todas as respostas sendo diferentes, o rei não concordou com nenhuma delas e não deu a recompensa a ninguém. No entanto, ainda ansioso para encontrar as respostas certas para suas perguntas, decidiu consultar um ermitão, amplamente conhecido por sua sabedoria.

O ermitão morava em um bosque de onde nunca havia saído e não recebia ninguém, somente pessoas humildes, do povo. Então o rei vestiu roupas simples e, antes de chegar à cabana do ermitão, desmontou do cavalo e, deixando seus guarda-costas para trás, foi até lá sozinho.

Quando o rei se aproximou, o ermitão estava cavando a terra na frente da cabana. Ao ver o rei, ele o cumprimentou e continuou cavando. O ermitão era frágil e fraco e, cada vez que enfiava a pá e revolvia a terra, ficava ofegante.

O rei foi até ele e disse:

– Vim procurá-lo, sábio ermitão, para lhe fazer três perguntas: como posso aprender a fazer a coisa certa no momento certo? Quem são as pessoas de que mais preciso e, portanto, a quais devo dar ouvidos, entre tantas? E quais assuntos são os mais importantes, que necessitam de minha atenção imediata?

O ermitão ouviu o rei, mas nada respondeu. Apenas cuspiu na mão e recomeçou a cavar.

– Você está cansado – disse o rei. – Dê-me a pá que o ajudarei um pouco.

– Obrigado! – disse o ermitão e, entregando a pá ao rei, sentou-se no chão.

Depois de cavar dois canteiros, o rei parou e repetiu as perguntas. O ermitão novamente não respondeu, mas levantou-se, estendeu a mão para pegar a pá e disse:

– Agora descanse enquanto eu trabalho um pouco.

Mas o rei não entregou a pá e continuou a cavar. Uma hora se passou, e mais outra. O sol começou a se pôr atrás das árvores, e o rei finalmente enterrou a pá na terra e disse:

– Vim procurá-lo, sábio homem, em busca de respostas às minhas perguntas. Se não pode me responder, diga e irei embora.

– Aí vem alguém correndo – disse o ermitão. – Vejamos de quem se trata.

O rei virou-se e viu um homem de barba correndo de dentro do bosque. Ele tinha as mãos pressionadas sobre o abdômen e havia sangue escorrendo por entre os dedos. Quando chegou perto do rei, ele caiu no chão, gemendo e desfalecendo. O rei e o ermitão desabotoaram a roupa dele. Ele tinha um enorme ferimento na barriga, na altura do estômago. O rei lavou o ferimento da melhor maneira que pôde e o enfaixou com seu lenço e com uma toalha que o ermitão tinha. Mas a ferida não parava de sangrar, e o rei removeu a bandagem encharcada de sangue, tornou a lavar o machucado e enfaixou de novo. Quando por fim o sangramento estancou, o homem recuperou os sentidos e pediu algo para beber. O rei foi buscar água fresca e deu-a para o homem. Nesse meio-tempo, o sol já tinha se escondido, e a temperatura estava mais fria. Então o rei, com a ajuda do ermitão, carregou o homem ferido para dentro da cabana e o deitou na cama.

O homem fechou os olhos e ficou quieto, mas o rei estava tão cansado, por causa da viagem e do trabalho todo que havia feito, que se agachou na soleira da porta e adormeceu também, tão profundamente que dormiu a noite inteira. Quando acordou pela manhã, demorou um pouco para se lembrar de onde estava e quem era o homem barbudo desconhecido deitado na cama, olhando para ele com olhos brilhantes.

– Perdoe-me! – disse o homem com voz fraca, quando viu que o rei estava acordado e olhando para ele.

– Não conheço você e nada tenho para perdoar – respondeu o rei.

– Você não me conhece, mas eu o conheço. Sou aquele seu inimigo que jurou vingar-se de você, porque você executou meu irmão e confiscou a propriedade dele. Eu sabia que você tinha vindo disfarçado visitar o ermitão e decidi que iria matá-lo no seu caminho de volta. Mas o dia passou e você não voltava. Então saí do meu local de emboscada para encontrá-lo, mas deparei-me com seus guarda-costas, e eles me reconheceram e me atacaram. Escapei deles, mas teria sangrado até a morte se você não tivesse cuidado do meu ferimento. Eu queria matar você, e você salvou minha vida. Agora, se eu viver, quero servi-lo e ser seu servo mais leal, e direi aos meus filhos para fazerem o mesmo. Perdoe-me!

O rei ficou muito contente por ter feito tão facilmente as pazes com seu inimigo e por ele ter se tornado seu amigo, e não só o perdoou, mas disse também que mandaria seus servos e seu próprio médico atendê-lo e prometeu devolver a propriedade.

Afastando-se do homem ferido, o rei saiu da cabana e olhou em volta, procurando o ermitão. Antes de ir embora, ele queria mais uma vez insistir em obter as respostas às perguntas que havia feito. O ermitão estava do lado de fora, ajoelhado, plantando sementes nos canteiros que tinham sido cavados no dia anterior.

O rei se aproximou e disse:

– Pela última vez, peço que responda às minhas perguntas, homem sábio.

– Já foram respondidas! – disse o ermitão, ainda agachado sobre as pernas magras e levantando os olhos para o rei, de pé diante dele.

– Como assim? O que quer dizer? – perguntou o rei.

– Não vê? – falou o ermitão. – Se você não tivesse ficado com pena de mim ontem e não tivesse cavado estes canteiros para mim e tivesse seguido seu caminho, aquele homem o teria atacado e você teria se arrependido de não ter ficado aqui comigo. Então, o momento mais importante foi quando você cavou os canteiros. E eu era o homem mais importante. E ajudar-me foi sua atitude mais importante. Depois, quando aquele homem correu para nós, o momento mais importante foi quando você o socorreu, pois, se você não tivesse enfaixado o ferimento, ele teria morrido sem fazer as pazes com você. Então ele era o homem mais importante, e o que você fez por ele foi sua atitude mais importante. Portanto, lembre-se: há somente um, apenas e tão somente momento mais importante... Agora! É a hora mais importante porque é a única em que podemos fazer alguma coisa. O homem mais necessário é aquele que está com você nesse momento, pois ninguém sabe se depois estará com outra pessoa e se poderá fazer algo por ela. E a coisa mais importante é fazer o bem, porque esse é o único propósito da vida!

A CAFETERIA DE SURAT

(SEGUNDO BERNARDIN DE SAINT-PIERRE)

Na cidade de Surat, na Índia, havia uma cafeteria onde muitos viajantes e estrangeiros de todas as partes do mundo se encontravam e conversavam.

Certo dia, um erudito teólogo persa visitou a cafeteria. Era um homem que havia passado a vida estudando a natureza da Divindade, lendo e escrevendo livros sobre esse assunto. Ele tinha pensado, lido e escrito tanto sobre Deus que acabou perdendo o juízo e ficando confuso, e até deixou de acreditar na existência de um Deus. O xá[3], ao saber disso, baniu-o da Pérsia.

Depois de passar a vida discutindo sobre a Causa Primeira, o desventurado teólogo acabou ficando bastante perplexo e, em vez de compreender que havia perdido a própria razão, começou a pensar que não existia uma Razão maior controlando o universo.

O teólogo tinha um escravo africano que o seguia por toda parte. Quando o teólogo entrou na cafeteria, o escravo ficou do lado de fora, perto da porta, sentado em uma pedra sob o sol e afugentando as moscas que zumbiam em volta dele. O persa, tendo se acomodado em um divã na cafeteria, pediu uma xícara de ópio. Depois que ele bebeu tudo e o ópio começou a acelerar o funcionamento do seu cérebro, ele falou com o escravo pela porta aberta:

– Diga-me, escravo miserável, você acha que existe um Deus, ou não?

– É claro que existe – o escravo respondeu e imediatamente tirou do cordão em sua cintura um pequeno ídolo de madeira.

[3] Título de nobreza na antiga Pérsia (hoje Irã) e no Afeganistão. (N.T.)

– Aqui – disse ele –, este é o Deus que me protege desde o dia do meu nascimento. Todo mundo no nosso país venera a árvore de cuja madeira este Deus foi feito.

Essa conversa entre o teólogo e seu escravo foi ouvida com surpresa pelos outros clientes da cafeteria. Eles ficaram atônitos com a pergunta do patrão, e mais ainda com a resposta do escravo.

Um deles, um brâmane, ao ouvir as palavras proferidas pelo escravo, virou-se para ele e disse:

– Tolo miserável! Como é possível que você acredite que Deus pode ser carregado no cordão de um homem? Existe um Deus, Brama, e ele é maior que o mundo inteiro, pois foi quem o criou. Brama é o único, o Deus poderoso, e em sua honra são construídos templos nas margens do rio Ganges, onde os verdadeiros sacerdotes, os brâmanes, o adoram. Eles, e somente eles, conhecem o verdadeiro Deus. Milhares de anos se passaram e, no entanto, através de revolução após revolução, esses sacerdotes mantiveram seu domínio, porque Brama, o único Deus verdadeiro, protegeu-os.

Assim falou o brâmane, pensando em convencer todo mundo; mas um corretor judeu que estava presente respondeu para ele, dizendo:

– Não! O templo do verdadeiro Deus não está na Índia. Nem Deus protege a casta brâmane. O verdadeiro Deus não é o Deus dos brâmanes, mas o de Abraão, Isaque e Jacó. Ele protege tão-somente seu povo escolhido, os israelitas. Desde o princípio do mundo, nossa nação é amada por Ele, e unicamente a nossa. Se estamos agora espalhados pela terra, é para nos testar, pois Deus prometeu que um dia irá reunir seu povo em Jerusalém. E então, com o Templo de Jerusalém, a maravilha do mundo antigo, restaurada ao seu esplendor, Israel será consagrada regente de todas as nações.

Assim falou o judeu, e desatou a chorar. Ele ia dizer mais alguma coisa, mas um missionário italiano que estava ali o interrompeu.

– O que você diz não é verdade! Você atribui injustiça a Deus. Ele não ama a sua nação acima das outras. Ao contrário, mesmo que seja verdade que nos tempos antigos ele tenha favorecido os judeus, já faz 1.900 anos que eles O enfureceram e O levaram a destruir sua nação e espalhar esse povo pela terra, para que sua fé não se disseminasse e acabasse fenecendo, com algumas poucas exceções aqui e ali. Deus não tem preferência por uma nação, mas chama todos aqueles que querem se salvar ao seio da Igreja Católica Romana, fora da qual não existe salvação.

Assim falou o italiano. Mas um pastor protestante, que por acaso também estava presente, empalideceu e virou-se para o missionário católico.

– Como pode dizer que a salvação pertence à sua religião? – disse ele. – Somente serão salvos aqueles que servem a Deus segundo o Evangelho, em espírito e em verdade, conforme ordenado pela palavra de Cristo.

Então um turco, funcionário da alfândega de Surat, que estava sentado na cafeteria fumando um cachimbo, virou-se com ar de superioridade para os dois cristãos.

– Vossa crença na religião romana é vã – afirmou ele. – Foi substituída há 1.200 anos pela verdadeira fé: a de Maomé! Não se pode deixar de observar como a verdadeira fé de Maomé continua a se alastrar pela Europa e pela Ásia, e até na esclarecida China. Vocês dizem que Deus rejeitou os judeus e, para provar, citam o fato de que os judeus são humilhados e que sua fé não é disseminada. Reconheçam, então, a verdade do maometismo, pois ele é triunfante e se alastra amplamente e por toda parte. Ninguém será salvo, exceto os seguidores de Omar, e não de Ali, pois a fé destes últimos é falsa.

A isto o teólogo persa, que pertencia à vertente de Ali, desejou responder, mas a essa altura uma grande disputa havia surgido entre todos os estrangeiros de diferentes fés e crenças que estavam presentes ali. Havia cristãos abissínios, lamas do Tibete, ismaelitas e adoradores do fogo. Todos discutiam sobre a natureza de Deus e sobre como Ele deveria ser reverenciado. Cada um afirmava que somente em seu país o verdadeiro Deus era conhecido e devidamente venerado.

Todo mundo discutia e gritava, exceto um chinês, seguidor de Confúcio, que estava sentado em silêncio, em um canto da cafeteria, sem participar da discussão. Estava ali bebendo chá e ouvindo o que os outros diziam, mas ele mesmo nada dizia.

O turco reparou nele sentado ali e dirigiu-se a ele.

– Você pode confirmar o que digo, meu bom chinês. Está quieto, mas, se falasse, sei que confirmaria minha opinião. Comerciantes do seu país, que procuram minha ajuda, dizem-me que, apesar das muitas religiões que foram introduzidas na

China, vocês, chineses, consideram o maometismo a melhor de todas e a adotam de bom grado. Confirme, portanto, minhas palavras e diga-nos sua opinião sobre o verdadeiro Deus e sobre Seu profeta.

– Sim, sim – disseram os outros, virando-se para o chinês –, deixe-nos saber o que pensa do assunto.

O chinês, seguidor de Confúcio, fechou os olhos e ficou pensativo por um tempo. Então abriu os olhos e, tirando as mãos de dentro das mangas largas de sua roupa, cruzou-as sobre o peito e, em um tom de voz calmo e sereno, começou a falar...

– Senhores, parece-me que é, primordialmente, o orgulho que impede os homens de concordarem uns com os outros nas questões relacionadas à fé. Se tiverem paciência de me ouvir, vou lhes contar uma história que explicará isto por um exemplo. Eu vim da China para cá em um navio inglês que já viajou pelo mundo todo. Paramos para coletar água potável e atracamos na costa leste da ilha de Sumatra. Era meio-dia, e alguns passageiros desembarcaram e se sentaram à sombra de alguns coqueiros à beira-mar, não longe de uma aldeia nativa. Éramos um grupo de homens de diferentes nacionalidades. Enquanto estávamos ali, um homem cego se aproximou de nós. Soubemos depois que ele tinha ficado cego por olhar por muito tempo, e muito persistentemente, para o sol, tentando descobrir o que era e capturar sua luz.

"Ele tentou fazer isto por muito tempo, mas o único resultado foi que olhar diretamente para o sol por tanto tempo fez mal aos seus olhos e ele ficou cego. Então ele disse para si mesmo:

"– A luz do sol não é um líquido, pois se fosse um líquido seria possível derramá-la de um vasilhame para outro e ela seria movida, como a água, pelo vento. Também não é fogo, pois, se fosse fogo, a água o extinguiria. Tampouco é a luz de um espírito, pois pode ser vista com os olhos; e não é matéria, pois não pode ser movida. Portanto, como a luz do sol não é líquido, nem fogo, nem espírito, nem matéria, ela é... nada!

"Esse foi o argumento do homem e, como resultado de olhar constantemente para o sol e pensar a respeito, ele perdeu tanto a visão como a razão. E, depois que ficou totalmente cego, convenceu-se de que o sol não existia.

"Acompanhando este homem cego, vinha um escravo, que, depois de ajudar o patrão a sentar-se à sombra de um coqueiro, pegou um coco no chão e começou a transformá-lo em uma lanterna. Ele torceu um pavio com a fibra do coco, espremeu o óleo da noz da casca e embebeu o pavio.

"Enquanto o escravo fazia isso, o homem cego suspirou e perguntou a ele:

"– Bem, escravo, eu não estava certo quando lhe disse que não existe sol? Não vê como está escuro? E no entanto as pessoas dizem que existe um sol... Mas, se existe, o que ele é?

"– Eu não sei o que é o sol – respondeu o escravo. – Isso não é da minha conta. Mas sei o que é a luz. Fiz aqui uma lanterna, com a ajuda da qual posso atendê-lo e encontrar o que eu quiser na cabana.

"O escravo pegou a casca do coco, dizendo:

"– Este é o meu sol.

"Um homem aleijado com muletas, que estava sentado ali perto, ouviu essas palavras e riu.

"– É evidente que você foi cego a vida inteira – disse ele ao cego –, para não saber o que é o sol. Eu lhe direi o que é. O sol é uma bola de fogo, que todas as manhãs nasce do mar e no final de cada dia se põe atrás das montanhas de nossa ilha. Todos vemos isso, e, se algum dia você tivesse enxergado, também teria visto.

"Um pescador, que estava escutando a conversa, disse:

"– Está bastante claro que você nunca esteve em outro lugar além desta ilha. Se você não fosse aleijado e tivesse saído de barco como eu, saberia que o sol não se põe atrás das montanhas de nossa ilha, e sim que, assim como ele nasce do oceano a cada manhã, da mesma forma ele se põe no mar ao final de cada dia. É verdade o que lhe digo, pois vejo isso todos os dias com meus próprios olhos.

"Então o indiano que estava em nosso grupo o interrompeu:

"– Admira-me que um homem sensato diga tanta bobagem. Como é possível que uma bola de fogo desça para a água e não seja extinta? O sol não é uma bola de fogo, ele é a divindade Deva, que cavalga para sempre em uma carruagem ao redor do monte dourado Meru. Às vezes as serpentes malignas Rahu e Ketu atacam Deva e o engolem, e então a terra fica escura. Mas nossos sacerdotes rezam para que a divindade seja libertada, e suas preces são atendidas. Somente homens ignorantes como vocês, que nunca estiveram fora de uma ilha, podem imaginar que o sol brilha unicamente sobre essa ilha.

"Então foi a vez do comandante de um navio egípcio, que estava presente, falar:

"– Não – disse ele. – Você também está enganado. O sol não é uma divindade e não se move apenas ao redor da Índia e de seu monte dourado. Já naveguei muito no Mar Negro e ao longo da costa da Arábia, estive em Madagascar e nas Filipinas. O sol ilumina toda a Terra, não só a Índia. Ele não circula um monte, mas nasce no Oriente, além das ilhas do Japão, e se põe no Ocidente, além das ilhas da Inglaterra. É por isso que os japoneses chamam seu país de 'Nippon', isto é, 'o nascimento do sol'. Sei bem que é assim, pois eu mesmo já presenciei isso muitas vezes e também já ouvi as histórias de meu avô, que navegou por todos os mares.

"Ele ia continuar falando, mas um marinheiro inglês do nosso navio o interrompeu:

"– Não existe um país onde as pessoas saibam tanto sobre os movimentos do sol como a Inglaterra. O sol, como todos na Inglaterra sabem, não nasce em nenhum lugar nem se põe em parte alguma. Ele está constantemente se movendo ao redor da Terra. Podemos ter certeza disto porque já demos a volta ao mundo e em nenhum ponto colidimos com o sol. Em qualquer lugar aonde fôssemos, o sol aparecia de manhã e se escondia no fim do dia, do mesmo modo como acontece aqui.

"O inglês pegou um graveto e, desenhando círculos na areia, tentou explicar como o sol se movia no céu e girava em torno da Terra. Mas não conseguiu explicar claramente e, apontando para o timoneiro do navio, disse:

"– Este homem sabe mais que eu sobre isso. Ele pode explicar melhor.

"O timoneiro, que era um homem inteligente, tinha escutado tudo em silêncio, até ser convocado a falar. Todos se voltaram para ele.

– Vocês estão todos enganados e dando explicações equivocadas. O sol não gira em torno da Terra, mas a Terra é que gira em torno do sol, ao mesmo tempo girando no próprio eixo em um período de vinte e quatro horas para cada volta. Portanto, não só Japão, Filipinas e Sumatra, onde estamos agora, mas também África, Europa, América e muitas outras terras ficam voltadas para o sol todos os dias, durante algumas horas. O sol não brilha apenas para uma montanha, ou para uma ilha, ou para um mar, nem mesmo só para a Terra, mas para outros planetas também, assim como para o nosso. Se vocês olharem para o alto, para o céu, em vez de olharem para baixo, para o solo sob seus pés, poderão compreender isto, e não mais supor que o sol brilha somente para vocês, ou somente para o seu país.

"Assim falou o sábio timoneiro, que havia viajado muito pelo mundo inteiro e tinha visto o céu inúmeras vezes.

"– Então, com relação à fé – concluiu o chinês, seguidor de Confúcio –, é o orgulho que leva a equívocos e a discórdias entre os homens. Assim como o sol, assim também é Deus. Cada homem quer ter um Deus especial para si, ou pelo menos um Deus especial para a terra onde ele vive. Cada nação quer restringir a seus próprios templos um Deus que nem o mundo inteiro pode conter. Pode-se comparar um templo ao que o próprio Deus construiu para unir todos os homens em uma única fé e uma única religião? Todos os templos humanos são construídos à semelhança deste templo, que é o mundo de Deus. Cada templo tem sua fonte, sua abóbada no teto, suas lâmpadas, suas pinturas ou esculturas, suas inscrições, seu livro da lei, suas oferendas, seu altar e seus sacerdotes. Mas em qual templo existe uma fonte como o oceano, uma abóbada como a celeste, lâmpadas como o sol, a lua e as estrelas, imagens que se comparem a homens vivos, amorosos e prestimosos uns com os outros? Onde há registros da bondade de Deus que sejam tão fáceis de entender como as bênçãos que Ele distribuiu por toda parte para a felicidade dos homens? Onde está um livro de lei que seja tão claro para cada homem como aquele que está escrito no coração de cada um? Que sacrifícios se equiparam às abnegações que homens e mulheres amorosos fazem uns pelos outros? E que altar pode ser comparado ao coração de um homem bom, de quem o próprio Deus aceita o sacrifício? Quanto mais elevada a concepção que um homem tem de Deus, melhor ele O conhecerá. E, quanto mais ele conhecer a Deus, mais ele se aproximará Dele, imitando Sua bondade, Sua misericórdia e Seu amor pelos homens. Portanto, que aquele que vê a luz plena do sol iluminando o mundo se abstenha de culpar ou desprezar o homem supersticioso, que vê em seu ídolo um raio dessa mesma luz. Que não despreze nem mesmo o cético que é cego e não pode enxergar o sol."

Assim falou o chinês, seguidor de Confúcio. E todos os que estavam presentes na cafeteria ficaram em silêncio e não mais discutiram sobre qual fé era a melhor.

DE QUANTA TERRA PRECISA UM HOMEM?

1

Uma irmã mais velha foi visitar sua irmã mais nova no interior. A mais velha era casada com um comerciante da cidade; a mais nova, com um camponês de um vilarejo. Quando as duas irmãs estavam sentadas à mesa do chá, conversando, a mais velha começou a se gabar das vantagens da vida na cidade, dizendo como eles viviam com conforto, como se vestiam bem, como eram de boa qualidade as roupas que eles e as crianças usavam, como comiam e bebiam coisas boas e como iam ao teatro, passeios e entretenimentos.

A irmã mais nova ficou irritada e, por sua vez, menosprezou a vida de um comerciante e defendeu a de um camponês.

– Eu não trocaria meu estilo de vida pelo seu – disse ela. – Podemos viver com simplicidade, mas pelo menos somos poupados de ansiedade. Vocês vivem um estilo melhor que o nosso, mas, embora vocês de modo geral ganhem mais do que precisam, correm maior risco de perder tudo o que possuem. Você conhece o provérbio "Perda e ganho são irmãos". Normalmente acontece de pessoas que são ricas hoje pedirem esmola amanhã. O nosso estilo é mais seguro. Apesar de não ser abastada, a vida do camponês é longa. Nunca seremos ricos, mas sempre teremos o suficiente para comer.

– O suficiente? – disse a irmã mais velha com desdém. – Sim, se quiserem dividir com os porcos e bezerros! O que vocês sabem sobre elegância e bons modos? Por mais que seu bom homem se mate de trabalhar, vocês morrerão do jeito como vivem: em meio ao esterco, e seus filhos também.

– Bem, e daí? – retrucou a mais nova. – Claro que nosso trabalho é rude e pesado. Mas é garantido. E não precisamos nos curvar a ninguém. Já vocês, na cidade, estão rodeados de tentações. Hoje pode estar tudo muito bem, mas amanhã o Maligno pode tentar seu marido com jogos de cartas, com vinho, ou mulheres, e aí virá a ruína. Essas coisas não acontecem o tempo todo?

Pahom, o dono da casa, estava deitado em cima do forno, escutando a conversa das mulheres.

"É verdade", pensou. "Ocupados como somos lavrando a Mãe Terra, nós, camponeses, não temos tempo para pensar em bobagens e futilidades. Nosso único problema é que não temos terra suficiente. Se eu tivesse bastante terra, não teria medo nem do Diabo em pessoa!"

As mulheres terminaram de tomar o chá, conversaram mais um pouco sobre roupas, depois tiraram a mesa e foram se deitar para dormir.

Mas o Diabo estava sentado atrás do forno e tinha escutado tudo. Estava satisfeito por a mulher do camponês ter levado o marido a vangloriar-se e dizer que, se tivesse terra suficiente, não teria medo nem do Diabo em pessoa.

"Muito bem", pensou o Diabo. "Teremos uma contenda. Eu lhe darei uma boa porção de terra, e por meio dessa terra o colocarei sob meu poder."

2

Perto da aldeia morava uma senhora, uma pequena proprietária de terras que possuía uma propriedade de cerca de trezentos hectares. Ela sempre tivera um bom relacionamento com os camponeses, até que contratou como administrador um ex-soldado que sobrecarregava o povo com multas. Por mais cuidadoso que Pahom tentasse ser, acontecia de vez em quando de um cavalo seu entrar na plantação de aveia da senhora, ou de uma vaca se afastar das outras e ir parar no jardim da casa dela, ou de bezerros irem pastar no prado dela, e ele sempre tinha de pagar uma multa.

Pahom pagava, mas reclamava e, voltando para casa de mau humor, era estúpido com a família. Durante aquele verão inteiro, Pahom havia tido muitos problemas por causa daquele administrador e ficou até contente quando o inverno chegou e o gado teve de ficar na estrebaria. Embora se ressentisse por ter de providenciar forragem quando os animais não podiam mais ir para as pastagens, pelo menos ficava tranquilo.

No inverno, espalhou-se a notícia de que a senhora ia vender suas terras e que o dono de uma estalagem que ficava na estrada estava negociando com ela. Quando os camponeses souberam disso, ficaram alarmados.

"Bem", pensaram, "se o estalajadeiro ficar com a propriedade, ele irá nos aplicar multas piores do que o atual administrador. Todos nós dependemos daquelas terras".

Então os camponeses se uniram em nome de sua comunidade e pediram à proprietária para não vender a terra ao estalajadeiro, oferecendo um preço melhor. A proprietária concordou em vender para eles, e os camponeses tentaram fazer com que sua comunidade comprasse a propriedade inteira, de modo que passasse a pertencer a todos em comum. Reuniram-se duas vezes para discutir o assunto, mas não conseguiram se entender; o Maligno semeou discórdia entre eles, e eles não chegavam a um acordo. Então eles decidiram comprar a terra individualmente, cada um conforme suas posses. E a proprietária concordou com essa proposta, já que ela mesma não conseguia pensar em outra solução.

Logo Pahom ficou sabendo que um vizinho estava comprando cinquenta hectares e que a proprietária havia consentido em aceitar metade do pagamento em dinheiro e esperar um ano para receber a outra metade. Pahom ficou com inveja.

"Veja só", pensou. "A propriedade toda está sendo vendida, e eu não conseguirei ter nem um lote." Então ele falou com a esposa.

– Outras pessoas estão comprando terras – disse ele – e precisamos comprar também uns vinte hectares. A vida está ficando impossível. Aquele administrador está simplesmente nos arruinando com suas multas.

Então os dois pensaram juntos sobre como poderiam dar um jeito de comprar um pedaço de terra. Eles tinha cem rublos guardados. Venderam um potro e metade de suas abelhas; empregaram um dos filhos como operário e receberam o adiantamento de alguns salários; pediram emprestado o restante a um cunhado e, assim, juntaram metade do valor necessário.

Tendo feito isto, Pahom escolheu um lote de quarenta hectares, parte dele arborizada, e foi procurar a proprietária para negociar a compra. Os dois chegaram a um acordo e fecharam negócio; o camponês pagou um adiantamento, e eles foram ao centro da aldeia para assinar a escritura, com o compromisso de que, tendo sido paga metade do preço, a outra metade seria paga em dois anos.

Dessa forma, agora Pahom possuía sua própria terra. Conseguiu sementes emprestadas e plantou-as na terra que havia comprado. A colheita foi boa, e dentro de um ano ele conseguiu pagar o que devia à proprietária e ao cunhado. Assim tornou-se um proprietário de terras, arando e semeando sua terra, produzindo seu próprio feno, cortando suas próprias árvores e alimentando seu gado com seu próprio pasto. Quando ele saía para arar seus campos, ou para ver seu milharal crescer, ou para olhar os prados relvados, seu coração se enchia de alegria. A relva que crescia e as flores que floresciam ali pareciam a ele diferentes de tudo o mais que crescia em outras terras. Antes, quando ele passava por ali, parecia-lhe ser uma terra como qualquer outra, mas agora parecia muito diferente.

3

Pahom estava bastante satisfeito, e tudo estaria bem se os camponeses vizinhos não invadissem seus milharais e pastagens. Ele conversou educadamente com eles, mas mesmo assim eles continuavam invadindo: os pastores deixavam as vacas entrar em seu prado, os cavalos que pastavam à noite se enfiavam no meio do seu milharal. Pahom os afugentava todas as vezes, perdoava os donos e, por um longo tempo, não processou ninguém. Mas por fim perdeu a paciência e prestou queixa no Tribunal Distrital. Ele sabia que era a necessidade que os camponeses tinham de um pedaço de terra, e não qualquer má intenção da parte deles, que causava o problema, mas pensava: "Não posso continuar ignorando isso, senão eles irão destruir tudo o que tenho. Eles precisam aprender uma lição".

E foi o que ele fez: multou um, depois outro, e por fim alguns camponeses foram multados. Depois de algum tempo, os vizinhos começaram a ter raiva dele por causa disso e passaram a deixar o gado invadir a terra dele de propósito. Um camponês chegou a entrar no bosque de Pahom certa noite e cortar cinco pés de limoeiro até o toco. Ao passar pelo bosque um dia, Pahom reparou em algo branco. Aproximou-se e viu os troncos descascados no chão, perto dos tocos onde antes as árvores estavam. Pahom ficou furioso.

"Se ele tivesse cortado um aqui e outro ali, já teria sido bastante ruim", pensou, "mas o infeliz cortou um aglomerado inteiro. Se eu descobrir quem fez isso, ele vai me pagar!"

Pahom quebrou a cabeça para descobrir quem poderia ter sido. Por fim ele decidiu: "Deve ser Simon... Ninguém mais faria isso". Então ele foi à casa de Simon para dar uma olhada, mas não encontrou nada; conseguiu apenas ter uma discussão raivosa com ele. No entanto, ele agora tinha certeza de que havia sido Simon quem cortara as árvores, e prestou queixa.

Simon foi convocado, o caso foi julgado, re-julgado, e no final Simon foi absolvido, por falta de provas contra ele. Pahom sentiu-se ainda mais indignado e despejou sua raiva no Ancião e nos Juízes.

– Vocês deixam os ladrões suborná-los – acusou. – Se fossem honestos, não deixariam um ladrão em liberdade.

Assim, Pahom discutiu com os Juízes e com seus vizinhos. Começou a receber ameaças de que sua casa seria incendiada. Então, apesar de agora possuir sua terra, sua posição na comunidade estava pior que antes.

A essa altura, começaram a circular rumores de que muitas pessoas estavam se mudando para outras localidades.

"Não há necessidade de eu deixar minha terra", pensou Pahom. "Mas alguns aldeões poderiam ir embora do vilarejo, e assim sobraria mais espaço para nós. Eu ficaria com as terras deles, e minha propriedade aumentaria. E então eu poderia viver melhor. Do jeito que está agora, ainda estou muito apertado para me sentir confortável."

Certo dia, Pahom estava em casa quando um camponês que passava pela aldeia parou para visitá-lo. Foi convidado para pernoitar e foi-lhe oferecido jantar. Conversando com esse camponês, Pahom perguntou de onde ele era, e o desconhecido respondeu que vinha do outro lado do Volga, onde trabalhava. Um assunto levou a outro, e o homem disse que muitas pessoas estavam indo para aqueles lados. Contou que algumas pessoas de seu povoado haviam se estabelecido lá, que haviam se associado à comunidade e que 25 hectares de terra haviam sido garantidos a cada lavrador. A terra era tão boa, disse ele, que o centeio crescia a uma altura maior que de um cavalo, e tão espesso que cinco cortes de foice formavam um feixe. Um camponês, contou ele, tinha começado com as mãos vazias e agora possuía cinco cavalos e duas vacas.

O coração de Pahom se inflamou de desejo. Ele pensou: "Por que eu deveria continuar sofrendo neste buraco estreito se posso viver tão bem em outro lugar? Venderei minha terra e minha casa aqui e, com o dinheiro, começarei uma vida nova lá. Neste lugar superpovoado sempre temos problemas. Mas primeiro preciso ir até lá para ver direito como é isso".

Com a proximidade do verão, ele se preparou e partiu. Desceu o Volga de barco até Samara, depois caminhou quase quinhentos quilômetros e finalmente chegou ao lugar. Era exatamente como o homem havia falado. Os camponeses possuíam terras, cada um tinha 25 hectares de terra à disposição para seu uso, e qualquer um que tivesse dinheiro podia comprar, a cinquenta centavos o hectare, a terra própria que quisesse.

Tendo descoberto tudo o que queria saber, Pahom voltou para casa no início do outono e começou a vender seus bens. Vendeu sua terra com lucro, vendeu sua casa e todo o gado e desligou-se da comunidade. Esperou apenas a chegada da primavera e então foi embora com a família.

4

Assim que Pahom e sua família chegaram à nova morada, ele solicitou admissão na comunidade de um grande povoado. Tratou com os Anciãos e obteve os documentos necessários. Cinco lotes de terra da comunidade lhe foram cedidos, para uso dele e dos filhos, ou seja, um total de 125 hectares (não em um único lote, mas em diferentes campos), além do uso do pasto comunitário. Pahom construiu as instalações de que precisava e comprou cabeças de gado. Só na terra comunitária ele produzia três vezes mais que antes, e a terra era boa para plantação de milho. Ele progrediu para dez vezes melhor do que era antes. Tinha terra arável e pastos à vontade e podia criar quantas cabeças de gado quisesse.

No início, em meio à novidade da construção e do assentamento, Pahom estava satisfeito com tudo, mas, depois que entrou na rotina, começou a achar que ainda não possuía terra suficiente. No primeiro ano, ele plantou trigo em seu lote de terra comunitária e teve uma boa colheita. Queria continuar plantando trigo, mas não tinha terra suficiente para alcançar sua meta, pois a que ele usara não estava disponível e naqueles lados o trigo só era semeado em solo virgem. Era cultivado por um ou dois anos e depois era preciso esperar a terra renovar-se até tornar-se um campo relvado outra vez. Muitos queriam essa terra, e não havia suficiente para todos, então os lavradores brigavam por causa disso. Os que estavam em melhor condição queriam plantar trigo, e os mais pobres queriam ceder a concessionários, a fim de ganhar dinheiro para pagar seus impostos. Pahom queria plantar mais milho, então alugou terra de um concessionário por um ano. Ele plantou bastante trigo e teve uma boa colheita, mas a terra ficava muito longe do centro do vilarejo, e o trigo tinha de ser transportado em carroça por mais de dez milhas. Depois de algum tempo, Pahom notou que alguns camponeses concessionários estavam morando em fazendas separadas e enriquecendo. E pensou: "Se eu comprasse terra própria e morasse nela, seria diferente. Tudo ficaria mais fácil".

A ideia de comprar terra própria lhe ocorria de tempos em tempos.

Ele continuou como estava, por três anos, alugando terra e plantando trigo. As estações foram boas, as colheitas renderam, e ele começou a guardar dinheiro. Ele poderia ter continuado assim, mas estava cansado de ter que alugar terra de outras pessoas todos os anos e de ter que lutar por elas. Onde houvesse terra boa, os camponeses disputavam, e ela era alugada imediatamente, e, a menos que a pessoa fosse rápida, perdia a oportunidade. No terceiro ano, Pahom e um concessionário alugaram juntos um campo de pasto de alguns camponeses; eles já o tinham arado quando houve uma disputa e os camponeses apelaram para a justiça, e no final todo o trabalho ficou perdido.

"Se a terra me pertencesse", pensou Pahom, "eu seria independente e nada disto teria acontecido".

Então Pahom começou a procurar uma terra que pudesse comprar; acabou conhecendo um camponês que tinha comprado

1.300 hectares, mas, estando em dificuldades, queria revender por um preço barato. Pahom negociou e pechinchou, e por fim combinaram o preço de 1.500 rublos, parte em dinheiro, parte a ser pago posteriormente. Estava tudo decidido quando um comerciante parou na casa de Pahom certo dia para comprar comida para seu cavalo. Ele bebeu chá com Pahom e conversaram. O comerciante disse que estava voltando da terra dos basquires, um lugar muito distante, onde havia comprado treze mil hectares de terra por 1.000 rublos. Pahom quis saber mais detalhes, e o comerciante disse:

– Tudo o que a pessoa precisa é fazer amizade com os chefes. Eu dei cerca de cem rublos em roupas e tapetes, além de uma caixa de chá, e dei vinho para quem quisesse beber. E consegui a terra por menos de dois *cents* o hectare. – Ele mostrou a Pahom as escrituras. – A terra fica perto de um rio, é uma pradaria de solo virgem.

Pahom o encheu de perguntas, e o homem disse:

– Tem mais terra lá do que você conseguiria percorrer em um ano, e pertence tudo aos basquires. Eles são muito simples, e é possível conseguir comprar terra a troco de quase nada.

"Bem", pensou Pahom, "com meus 1.000 rublos, por que eu compraria apenas 1.300 hectares e ainda contrairia uma dívida? Se eu for para lá, posso conseguir dez vezes mais pelo mesmo preço".

5

Pahom perguntou como chegar àquele lugar e, assim que o comerciante foi embora, ele se preparou para ir. Deixou a esposa tomando conta da casa e iniciou a viagem, levando consigo seu capataz. Eles pararam em uma cidade no caminho e compraram uma caixa de chá, um pouco de vinho e outros presentes, conforme o comerciante tinha aconselhado. E seguiram viagem por quase quinhentos quilômetros, e no sétimo dia chegaram a um lugar onde os basquires haviam armado suas tendas. Era exatamente como o comerciante dissera. As pessoas viviam nas estepes, à margem do rio, em tendas forradas de feltro. Não cultivavam a terra nem comiam pão. O gado e os cavalos pastavam na estepe, os potros eram amarrados atrás das tendas, e as éguas eram levadas até eles duas vezes por dia. As éguas eram ordenhadas, e do leite era feito *kumis*[4]. Eram as mulheres que preparavam o *kumis*, e também faziam queijo. Quanto aos homens, tudo o que lhes interessava era beber *kumis* e chá, comer carneiro e tocar flauta. Eram todos robustos e alegres, e durante o verão inteiro não pensavam em trabalhar. Eram bem ignorantes, não sabiam russo, mas eram bem-humorados.

---

[4] Leite de égua acidificado e fermentado, muito apreciado em toda a região da Ásia Central. Também é assim chamado quando preparado a partir do leite de camela ou de mula. (Fonte: Wikipedia) (N.T.)

Assim que viram Pahom, saíram de suas tendas e rodearam o visitante. Um intérprete foi chamado, e Pahom disse a eles que tinha vindo procurar terras. Os basquires pareceram ficar muito contentes; levaram Pahom para uma das melhores tendas, onde o fizeram sentar-se em cima de almofadas dispostas sobre um tapete, e sentaram-se em volta dele. Ofereceram-lhe chá e *kumis*, mandaram matar um carneiro e deram-lhe a carne para comer. Pahom pegou os presentes na carroça, distribuiu-os entre os basquires e dividiu o chá entre eles. Os basquires ficaram encantados. Conversaram muito entre eles e depois pediram ao intérprete que traduzisse.

– Eles querem lhe dizer – explicou o intérprete – que gostam de você e que é nosso costume fazer tudo ao nosso alcance para agradar um visitante e retribuir seus presentes. Você nos trouxe presentes, agora diga-nos o que é que nós possuímos que lhe agradaria mais, para que possamos presenteá-lo.

– O que mais me agrada aqui – respondeu Pahom – são suas terras. A nossa terra está povoada demais, o solo está saturado. Mas vocês têm grandes extensões de terra, e fértil. Eu nunca vi igual.

O intérprete traduziu. Os basquires conversaram entre si por um tempo. Pahom não entendia o que diziam, mas percebia que estavam contentes, falavam alto e davam risadas. Depois ficaram em silêncio e olharam para Pahom enquanto o intérprete dizia:

– Eles querem que eu lhe diga que em retribuição aos seus presentes eles de bom grado lhe darão a terra que quiser. Basta escolher, e será sua.

Os basquires conversaram novamente por um tempo e começaram a se desentender. Pahom perguntou o que eles estavam disputando, e o intérprete disse que alguns deles achavam que deviam perguntar ao chefe sobre a terra e não agir na ausência dele, ao passo que outros achavam que não havia necessidade de esperar pelo retorno do chefe.

6

Enquanto os basquires discutiam, um homem usando um grande gorro de pele de raposa apareceu na cena. Todos ficaram em silêncio e se levantaram. O intérprete disse:

– Este é o nosso chefe.

Pahom imediatamente pegou a melhor túnica e dois quilos de chá e presenteou o chefe, que aceitou e sentou-se no lugar de honra. Os basquires começaram a falar com ele, e ele escutou por um tempo, depois fez um sinal com a cabeça para que ficassem em silêncio e, dirigindo-se a Pahom, falou em russo:

– Bem, que assim seja feito. Escolha a terra que quiser. Temos muita.

"Como posso ter o que quiser?", pensou Pahom. "Precisarei de uma escritura como garantia, caso contrário eles podem dizer que é minha e depois podem tomá-la de volta."

– Obrigado por suas amáveis palavras – falou em voz alta. – Vocês possuem grandes extensões de terra, e eu só quero um pedaço. Mas gostaria de ter certeza de que pertencerá a mim. Será que poderá ser medida e entregue a mim? A vida e a morte estão nas mãos de Deus. Vocês são pessoas bondosas e me entregarão a terra, mas seus filhos poderão querê-la de volta um dia.

– Você tem razão – disse o chefe. – Faremos com que pertença a você.

– Eu soube que um comerciante esteve aqui – continuou Pahom – e que vocês venderam a ele um lote de terra também e assinaram uma escritura. Eu gostaria que fosse feito o mesmo.

O chefe compreendeu.

– Sim – respondeu. – Isso pode ser feito facilmente. Temos um escriba e iremos ao povoado com você para lavrar a escritura.

– E qual será o preço? – indagou Pahom.

– Nosso preço é sempre o mesmo... 1.000 rublos o dia.

Pahom não entendeu.

– O dia? Que medida é essa? Equivale a quantos hectares?

– Não sabemos fazer esse cálculo – disse o chefe. – Vendemos o dia. A extensão que você conseguir percorrer a pé em um dia será sua, e o preço é 1.000 rublos por essa extensão.

Pahom estava surpreso.

– Mas em um dia é possível percorrer uma longa extensão de terra – disse.

O chefe riu.

– Será toda sua! – exclamou. – Mas há uma condição. Se você não retornar no mesmo dia ao ponto de partida, perderá seu dinheiro.

– Mas como vou marcar até onde consegui chegar?

– Bem, podemos ir a qualquer ponto que você queira e ficar lá. Você começa a andar desse ponto, levando uma pá. Sempre que achar necessário, faça uma marca na terra com a pá. Cave um buraco e empilhe a relva. Depois iremos com o arado de buraco em buraco. Você pode fazer o circuito que quiser, mas antes do pôr do sol deve estar de volta ao ponto de partida. Toda a terra que você percorrer será sua.

Pahom estava encantado. Ficou decidido que fariam isso na manhã seguinte. Eles conversaram um pouco e, depois de beber um pouco mais de *kumis* e comer mais carneiro, beberam chá outra vez, e então anoiteceu. Eles colocaram à disposição de Pahom um colchão de penas para dormir, e os basquires se dispersaram para a noite, prometendo reunir-se ao alvorecer e cavalgar antes de o sol nascer até o ponto escolhido.

7

Pahom deitou-se no colchão de penas, mas não conseguia dormir. Ficava pensando na terra.

"Que longa distância conseguirei percorrer!", ele pensava. "Posso facilmente andar 35 milhas em um dia. Os dias são longos nesta época do ano, e um circuito de 35 milhas é muita terra! Venderei a parte que não for tão boa, ou a deixarei para os camponeses, e ficarei com a terra mais fértil e a cultivarei. Comprarei duas parelhas de bois e contratarei mais dois trabalhadores. Cerca de 150 hectares de terra serão arados, e o restante será para o gado pastar.

Pahom ficou acordado a noite inteira e cochilou só um pouco logo antes de amanhecer. Mal fechou os olhos, ele teve um sonho. Sonhou que estava naquela mesma tenda e que ouvia alguém rir baixinho do lado de fora. Pensou quem poderia ser, levantou-se e saiu para olhar, e viu o chefe basquire sentado em frente à tenda, com os braços cruzados sobre a barriga e rindo muito. Aproximando-se do chefe, Pahom perguntou:

– Por que está rindo?

Mas então viu que não era mais o chefe, e sim o comerciante que recentemente estivera em sua casa e lhe contara sobre a terra. No instante em que Pahom ia perguntar quanto tempo fazia que ele estava ali, ele viu que não era o comerciante, e sim o camponês que viera pelo Volga, tempos atrás, até sua antiga casa. E então ele viu que não era mais o camponês, mas o Diabo em pessoa, com cascos e chifres, que estava sentado ali rindo, e diante dele estava um homem descalço, prostrado no chão, somente de calça e camisa. Pahom sonhou que olhou com mais atenção para ver quem era o homem que estava deitado ali e viu que o homem estava morto, e que era ele mesmo!

Acordou horrorizado. "É cada coisa que a gente sonha", pensou. Olhando em volta, viu pela entrada da tenda que o dia estava nascendo. "Hora de acordar os outros", pensou. "Precisamos partir."

Levantou-se, chamou seu capataz (que estava dormindo na carroça), ordenou que encilhasse os cavalos e foi chamar os basquires.

– Está na hora de ir para a estepe medir a terra – avisou.

Os basquires se levantaram e se reuniram, e o chefe também veio. Então começaram a beber *kumis* outra vez e ofereceram a Pahom um pouco de chá, mas ele não queria esperar mais.

– Se é para ir, vamos. Está mais do que na hora – disse.

8

Os basquires se aprontaram, e todos partiram. Alguns montaram em cavalos, alguns em carroças. Pahom conduziu sua pequena carroça com seu capataz e levou consigo uma pá. Quando chegaram à estepe, o céu começava a clarear. Eles subiram um pequeno morro (chamado pelos basquires de *shikhan*), desmontaram de seus cavalos e carroças e se reuniram em um local. O chefe foi até Pahom e estendeu o braço em direção à planície.

– Está vendo – disse ele –, tudo isso até onde a vista pode alcançar é nosso. Você pode ter o que quiser.

Os olhos de Pahom brilharam. Era tudo solo virgem, plano como a palma da mão, preto como semente da papoula, e nas depressões cresciam diferentes tipos de mato, à altura do peito de um homem.

O chefe tirou o gorro de pele de raposa, colocou-o no chão e disse:

– Aqui será a marca. Comece daqui e retorne para cá. A terra que você percorrer será sua.

Pahom pegou o dinheiro e colocou-o dentro do gorro. Depois tirou o casaco, ficando só de colete. Desamarrou o cordão e amarrou-o bem abaixo do abdômen, colocou um pequeno saco de pão no bolso, amarrou um cantil de água ao cordão, puxou o cano das botas, pegou a pá das mãos do capataz e preparou-se para começar. Pensou por um momento qual seria a melhor direção a seguir, porque todos os lados eram tentadores.

"Não importa", concluiu. "Irei em direção ao sol nascente."

Ele virou-se para o leste, aprumou-se e esperou o sol surgir no horizonte.

"Não posso perder tempo", pensou, "e é mais fácil andar enquanto ainda está fresco".

Os raios de sol mal tinham começado a aparecer quando Pahom, carregando a pá sobre o ombro, partiu para a estepe.

Ele começou a andar, não muito devagar nem muito rápido. Depois de percorrer 1.000 metros, cavou um buraco e empilhou o mato para que ficasse mais visível. Então continuou andando e, ganhando disposição e ritmo, apressou o passo. Depois de algum tempo, cavou outro buraco.

Pahom olhou para trás. O morro podia ser visto distintamente à luz do sol, com o grupo de pessoas no topo e as rodas brilhantes das carroças. Pahom calculou que havia percorrido cerca de três milhas. Estava esquentando, e ele tirou o colete, jogou-o sobre o ombro e prosseguiu. A temperatura estava bem quente agora. Ele olhou para o sol; era hora de pensar no desjejum.

"O primeiro turno acabou, mas são quatro em um dia, e ainda é cedo para voltar. Mas vou só tirar as botas", disse para si mesmo.

Ele sentou-se, tirou as botas, prendeu-as no cordão e foi em frente. Estava fácil andar, agora.

"Vou andar mais umas 3 milhas", pensou, "e depois virar para a esquerda. O local é tão bom que seria uma pena não aproveitar. Quanto mais eu ando, melhor a terra parece ser".

Ele seguiu em frente por mais um tempo e, quando virou-se, o morrinho já não estava tão visível, e as pessoas no topo pareciam formiguinhas pretas, e ele podia apenas ver algo refletindo o brilho do sol.

“Ah”, pensou Pahom, “já caminhei bastante nesta direção, é hora de virar. Além do mais, estou transpirando demais e com muita sede”.

Ele parou, cavou um grande buraco e empilhou o mato. Em seguida pegou o cantil, bebeu água e então virou-se bruscamente para a esquerda. E lá foi ele, andando. O mato era alto, e ele sentia muito calor.

Pahom começou a ficar cansado. Olhou para o sol e viu que era meio-dia.

“Bem”, pensou, “preciso descansar um pouco”.

Ele se sentou, comeu um pouco de pão e bebeu água. Mas não se deitou, pensando que, se deitasse, poderia acabar dormindo. Depois de algum tempo sentado, levantou-se e continuou a andar. No começo caminhou com facilidade, fortalecido pelo alimento; mas estava muito quente, e ele sentia sono. Mesmo assim ele foi em frente, pensando: “Poucas horas de sacrifício, uma vida inteira para viver”.

Caminhou uma longa distância nessa direção também, e já ia virar para a esquerda novamente quando percebeu uma depressão úmida. “Seria uma pena deixar esta parte de fora”, pensou. “É o lugar ideal para plantar linhaça.” Então ele percorreu a depressão e cavou um buraco do outro lado, antes de virar para iniciar o caminho de volta.

Pahom olhou na direção do morro. O calor tornava o ar nebuloso. A vista parecia ondular, e através da névoa ele mal conseguia enxergar as pessoas no topo do morro.

"Ah!", pensou. "Percorri uma distância muito longa nas duas direções. Preciso encurtar a volta." Então ele começou a andar mais rápido, procurando percorrer um caminho mais curto em direção ao morro. Olhou para o sol, que estava a meio caminho do horizonte, e ele ainda não completara duas milhas no terceiro lado daquele quadrado de terra que estava percorrendo. Ainda estava a dez milhas da meta.

"Não", pensou. "Apesar de minha terra ficar meio triangular, preciso me apressar de volta em linha reta agora. Andei bastante, já tenho uma grande extensão de terra."

Então Pahom cavou apressadamente um buraco e virou-se na direção do morro.

9

Pahom caminhou diretamente na direção do morro, mas agora andava com dificuldade. Não estava aguentando o calor, os pés descalços estavam cortados e machucados, e suas pernas começavam a perder a força. Ele ansiava por descansar um pouco, mas era impossível se pretendia chegar antes do pôr do sol. O sol não esperava pelo homem, e estava baixando rapidamente agora.

"Ah, meu Deus", pensou. "Será que calculei mal e fui longe demais? E se eu me atrasar?"

Ele olhou para o morro e para o sol. Ainda estava longe de chegar, e o sol estava quase tocando a linha do horizonte. Pahom apertou o passo; estava muito difícil andar, mas ele ia o mais rápido que conseguia, porém ainda estava muito distante. Começou então a correr, deixou cair o casaco, as botas, o cantil, o chapéu... ficou apenas com a pá, que usava como apoio.

"O que vou fazer?", pensou de novo. "Fui longe demais e arruinei tudo. Não vou conseguir chegar antes de o sol se pôr."

E este medo o deixou sem fôlego. Ele corria, a camisa e a calça ensopadas de suor grudavam em sua pele, a boca estava seca. Os músculos trabalhavam como o fole de um ferreiro, o coração martelava dentro do peito, e as pernas pareciam se mover como se não lhe pertencessem. Pahom foi dominado pelo terror de morrer de tanta tensão.

Apesar do medo de morrer, no entanto, não podia parar. "Depois de tudo isto, eles vão me chamar de tolo se eu parar agora", pensou. E correu, e correu, e foi chegando perto, e ouviu os basquires gritar para ele, e os gritos inflamaram ainda mais seu coração. Ele reuniu as últimas forças e correu mais.

O sol estava na borda do horizonte e, envolto em névoa, parecia grande e vermelho como sangue. Agora... sim, agora... estava prestes a se pôr! Estava muito, muito baixo, mas ele também estava muito perto de alcançar sua meta. Já podia distinguir os homens no alto do morro com os braços levantados acenando para ele, encorajando-o. Podia ver o gorro de pele de raposa no chão, o dinheiro dentro dele e o chefe sentado no chão, com os braços cruzados sobre a barriga.

E Pahom então se lembrou do sonho. "Há muita terra, mas Deus permitirá que eu viva nela? Eu perdi minha vida, perdi minha vida! Nunca chegarei..."

Pahom olhou para o sol, que havia alcançado a terra: uma parte dele já tinha desaparecido. Com toda a força que lhe restava, ele inclinou o corpo para a frente, de tal modo que suas pernas mal conseguiam acompanhar na velocidade necessária para que ele não caísse.

No instante em que ele chegou ao morro, escureceu de repente. Ele olhou para cima... o sol havia se posto. Ele deu um grito. "Todo o meu esforço foi em vão", pensou, e já ia parar, mas ouviu os basquires ainda gritando e lembrou que, embora para ele, no pé da colina, o sol já não estivesse visível, eles do alto ainda podiam vê-lo. Respirou fundo e correu morro acima. Ainda estava claro ali. Ele alcançou o topo e viu o gorro. Ao lado, o chefe ria muito, com os braços cruzados sobre a barriga.

Pahom lembrou-se novamente do sonho e deu um grito. Suas pernas cederam e ele caiu para a frente com os braços estendidos, alcançando o gorro.

– Ah, que ótimo sujeito! – exclamou o chefe. – Ganhou muita terra!

O servo de Pahom correu e tentou levantá-lo, mas viu que havia sangue escorrendo de sua boca. Pahom estava morto!

Os basquires estalaram a língua e balançaram a cabeça, demonstrando pena.

O servo pegou a pá e cavou uma sepultura de tamanho suficiente para que Pahom coubesse deitado lá dentro, e o enterrou. Um metro e oitenta, da cabeça aos pés, era o que bastava.